KB195192

돈과 영어의
비상식적인 관계
2탄

Okane To Eigo No Hijyoushikina Kankei 2
(お金と英語の非常識な関係 2)

Originally published in Japan by FOREST Publishing Co., Ltd.
Korean translation copyright © 2024 Limitless
Korean translation rights arranged with
FOREST Publishing Co., Ltd.，through Shinwon Agency, Co.

돈과 영어의 비상식적인 관계 2탄

간다 마사노리 지음

작가의 말

두꺼운 책은 잘 팔리지 않는다.
그것이 요즘 출판업계의 상식이다.
그래서 이 책도 처음엔 얇게 만들 예정이었다.
하지만 쓰다 보니 도저히 멈출 수가 없었다.
이 책은 1, 2권 세트로 구성되어 있다.

"와, 두 권을 다 읽으려면 대체 얼마나 걸릴까?"

걱정할 필요 없다.
바쁜 당신을 위해 단시간에 읽을 수 있도록 연구했으니까.
1, 2권을 다 읽는 데 놀랍게도 한 시간밖에 걸리지 않는다.
*** 먼저 책 전체와 목차, 각 장의 제목, 소제목을 훑어본다.**
*** 다시 책 전체를 훑어보며 굵게 표시한 문장을 읽는다.**

이 책은 30분 만에 각 권의 개요를 파악할 수 있다.
처음부터 꼼꼼하게 읽어도 즐기면서 단숨에 독파할 수 있다.
당신은 깜짝 놀랄 만큼 짧은 시간에
이 책의 내용을 흡수할 수 있다. 장담한다.
한 가지 부탁이 있다.
*** 아무리 시간이 없어도 다음 페이지부터 'CHAPTER 1' 사이는, 즉 서장은 반드시 읽어주기 바란다.**
왜냐, 이 책의 가장 중요한 주제를 이야기하기 때문이다.
그것은 내가 지금까지 계속 숨겨왔던 비밀이다.
그 비밀을 공개하겠다.

추천사

'돈과 영어'의 조합이란 말이 낯설게 다가올 수 있다. 하지만 눈치 빠른 독자님은 그 상관관계에 대해 직감적으로 알아차렸을 것이다. 이 책은 놀랍게도 2000년도 초반에 일본에서 출간된 책이다. 그럼 지금 시대에 적용할 수 없는 낡은 지식인가? 천만의 말씀! 국내에 널리 알려진 대기업도 해외 선진국의 비즈니스 모델을 참고한 것에 지나지 않는다.

해외 비즈니스는 여전히 한국보다 훨씬 앞서 있다. 이건 부정할 수 없는 사실이다. 여기서 "예외도 있는데요? 모두 그렇지 않습니다!"라고 반박해도 소용없다. 난 예외를 말하는 게 아니라 보편적인 걸 말하는 거니까. 나는 자신 있게 말할 수 있다. 이 책에서 말하는 것을 따라만 하면, 부를 거머쥘 수 있는 첫 단추를 뗄 수 있다.

이 책은 절판된 책을 재출간한 것으로, 중고 책은 18만 원에 거래되고 있었다. 절판 책이 왜 높은 가격에 팔리는 걸까? 궁금해서 찾아보니 웃돈이 붙어 30만 원에 판매하는 사람도 있었다. 그 이유는 이 책을 읽어본 사람만 알 수 있다.

당신의 경쟁자가 이 책을 읽기 전에 먼저 읽고 실천하라. 내가 해줄 수 있는 얘긴 이것뿐이다.

_손힘찬(오가타 마리토), 《어른의 기분 관리법》 저자

추천사

지난 10년 동안 감춰왔던 내 영업 비밀을 털린 기분이다. '돈과 영어', 그 미묘하면서도 비상식적인 관계를 이런 통찰과 함께 보여주다니….

나는 지금까지 4권의 영어책을 쓰면서 1,000권이 넘는 영어책과 교재, 논문들을 읽어왔다. 그 1,000권의 영어책 중 나에게 가장 큰 영향을 준 책이 바로 이 책이다. 영어를 배우는 이유를 깊게 파고 들어가 보면, 결국 '잘 살고자 하는 욕망'을 만나게 된다. 그 욕망을 다른 말로 하면 '돈'이다.

간다 마사노리가 이야기해주지 않으면 어디서도 들을 수 없는 인사이트 가득한 '돈과 영어의 비상식적인 관계' 이야기를 통해서 당신이 영어로 돈을 버는 선순환의 삶을 구현하기를 바란다.

당신의 영어 인생에 건승을 빈다.

_김영익(슈퍼윌), 《챗GPT 영어 혁명》 저자

프롤로그

Welcome Back! 2권에 온 것을 환영한다.

당신은 영어 학습에 도움이 될 거라는 생각에 이 책을 집었을 것이다. 하지만 여기까지 읽고 나서 당신도 느꼈을 것이다. 이 책은 영어책이면서도 영어책이 아니라는 것을. 물론 단기간에 영어 실력을 향상할 수 있는 정보를 담기 위해 최선을 다했다.

그러나 영어만을 위한 책은 아니다. 영어를 배우고 꿈을 실현하는 사고법을 익히기 위한 책이다. 이런 사고법은 현실성 없이 허황된 이론이 아니다. 내가 만 명 이상의 경영자와 창업자들에게 가르쳤으며, 실제로 효과가 증명된 노하우다. 즉 '성공하는 사람의 공통적인 사고법'이다. 이 사고법을 마스터하면, 당신의 꿈은 반드시 실현될 것이다.

지금까지는 아무리 가슴 설레는 꿈을 품었더라도 세상의 상식과 냉혹한 현실에 부딪혀 좌절해야만 했다. '안일한 생각이다', '철 좀 들어라'. 그렇게 작은 틀에 자신을 가둬야만 했다. 그러나 지금 시대는 변했다. 몇 년 전과는 비교도 되지 않을 만큼 꿈을 실현하기 쉬운 시대로 바뀌었다. 드디어 꿈을 실현할 수 있는 시대가 온 것이다.

또한 꿈을 실현할 수 있는 시대가 왔다는 건, 그만큼 자신의 꿈에 대해 사회적 책임을 져야 한다는 뜻이다. 이기적인 욕망에 사로잡혀 시대의 흐름을 막는 꿈이 가치 있게 여겨지던 시대는 지났다. 게다가 그런 꿈은 멋있지도 않다. 중요한 것은 당신이 이런 시대의 대변혁기에 어떤 역할을 지니고 태어났는가, 그리고 이 지구라는 흥미진진한 유원지에서 어떤 재미있는 놀이를 찾아낼 것이냐다.

이 책을 계기로 당신도 그 답을 꼭 찾아내기를 바란다.

2권에서는 드디어 지금 당장 활용할 수 있는 획기적인 테크닉을 소개하겠다. 2권을 읽고 난 후에는 영어에 대한 당신의 개념이 완전히 바뀌어 있을 것이다.

지금부터 소개할 테크닉은 내가 다른 몇 권의 책을 기획하면서 발전시킨 것들이다. 그 비결을 이 책에서 모두 공개하겠다. 다시 말하지만, 이 테크닉들은 영어 학습뿐만 아니라 비즈니스와 그 밖의 기술을 익힐 때도 눈부신 효과를 발휘할 것이다.

반드시 두 번 읽기를 바란다.

첫 번째는 영어를 배우기 위해서.

두 번째는 영어 이외의 꿈을 이루기 위해서.

당신이 '당신의 진정한 인생'을 발견하고 실현하며 나아가는 것이 내 바람이다.

간다 마사노리(神田 昌典)

CONTENTS

CHAPTER 5.
국제적인 비즈니스에서 활약하는 워프의 입구

CHAPTER 6.
미래로의 귀환

1권의 주요 내용

Chapter 4
3시간 원서 공략법

돈과 영어의
비상식적인
관계

01

원서는 읽지 못하는 게 아니라 읽지 않는 것뿐이다

"요즘 한 달에 두세 권씩 원서를 읽고 있습니다."

세미나 중간의 쉬는 시간에 대형 전자 메이커의 마케팅 담당자인 고객이 내게 말을 건네 왔다.

"간다 씨가 번역과 감수를 맡으셨던 책도 원서를 구해서 읽었습니다."

"굉장하군요. 지금까지 원서를 읽은 적이 있습니까?"

"아뇨, 없습니다. 몇 달 전부터 읽기 시작했습니다."

이 고객은 자신의 영어 실력으로는 도저히 원서를 읽을 수 없다고 믿었던 사람 중 한 명이었다. 사실 이런 사람은 이 고객뿐만이 아니다. 스노보드 강사였던 소노 요시히로 씨도 갑자기 영어에 눈을 떠서 원서를 읽기 시작했다. 스포츠 기반의 정신 훈련 분야의 책을 해외에서 구입하여 열심히 읽기 시작한 것이다. 그는 본래 난독증 때문에 책을 읽지 못했다.

몇 년 전까지는 자신이 난독증이라는 사실조차 모른 채 '나는 머리가 나빠서 공부를 못한다'라고 믿고 있었다. 책을 거의 읽을 수 없었기 때문이다.

그런데 이 4장에서 소개할 방법을 배운 후부터 잠에서 깨어나듯 능력이 개화했다. 일본어책조차 읽은 적이 없었던 그가 지금은 해외에서 영어 원서를 잔뜩 구입하여 읽는 것이다.

그것을 계기로 지금은 스포츠 잡지에 기사를 쓰고 있을 정도다. 내 많은 고객 중에는 각 업계에서 실적을 쌓고 책을 출판하는 사람이 속출하고 있다. 그들이 쓴 책의 참고문헌란에는 영어 원서가 즐비하게 적혀 있다. 업계와 관련된 전 세계의 최첨단 정보를 모으고, 그 속에서 일본에 필요한 정보를 찾아 널리 알리는 것이다.

왜 원서를 읽어야 하는가? 간단하다.

원서를 읽으면 일본에서 발행되는 책의 몇 배나 되는 책을 접할 수 있기 때문이다.

영국의 국제 문화 교류 기관인 '브리티시 카운슬'의 조사에

의하면 현재 영어 인구(제1 언어, 제2 언어 합계)는 7억 5천만 명이라고 한다. 일본의 연간 서적 발행 권수는 5만 6천 권. 그에 비해 미국, 캐나다, 영국의 발행 권수는 19만 권이다. 영어 원서를 읽으면 거의 세 배에 달하는 지적 재산에 접할 수 있게 되는 셈이다.

서적의 국제화는 당신의 지적 세계를 한층 넓혀준다. 예를 들어 내가 농담에 관해 연구하려고 자료를 조사했을 때도 《재미있게 하는 법(How To Be Funny)》, 《농담쟁이의 수첩(The Joke Teller's Handbook)》 등 일본보다 몇 배나 많은 책을 발견할 수 있었다. 별점과 주식투자를 연구할 때도 마찬가지였다. 원서에는 최첨단 지식을 정리한 이론서가 잔뜩 있었다. 영어를 읽을 수 있는 사람에게는 보물 창고나 다름없다.

영어를 배우면 세계의 지식인과 탑클래스의 정보가 당신의 책장에 꽂히게 된다. 전철을 타고 이동할 때 가방에서 꺼내는 책도 물론 원서다.

자신의 분야에서 전문가가 되고 싶으면 원서를 읽어라. 일본보다 몇 배나 빨리 발행되는 지식의 원천을 접할 수 있다는 것은 얼마나 흥분되는 일인가! 대부분 사람은 원서를 읽기도 전에 불가능하다고 체념한다. 자신의 영어 실력을 과소평가하는 것이다.

단언하건대 중학생 정도의 영어 실력만 있으면 원서를 읽을 수 있다.

대입 수험공부를 통해 문법과 독해 등을 공부한 사람은 기초가 튼튼한 만큼 더욱 수월하게 읽을 수 있다. 사실 원서를 읽을 수 없는 게 아니라 '읽지 않았던 것'뿐임을 깨닫게 될 것이다. 영어 비즈니스 서적은 약간의 테크닉만 알면 3시간 만에 읽을 수 있다. 바꿔 말하자면 3시간 이상 걸려서는 안 된다. 중학생 수준의 영어 실력만 있으면 비즈니스 서적을 3시간 만에 읽을 수 있다!

이렇게 결론을 내리면, 나는 또 비판받을 것이다. '간다 씨는 독자들에게 헛된 꿈을 불어넣고 있다'라고. 내 말이 조금 과장된 것은 사실이다. 사과하겠다. 따라서 오해받지 않도록 다시 말하겠다.

정확하게 말하자면…

중학생 수준의 영어 실력만 있으면 비즈니스 서적을 3시간 만에 이해할 수 있다!

즉 당신의 목적에 필요한 내용은 이해할 수 있다는 말이다.

'CHAPTER 4'에서는 그 획기적인 방법을 소개하겠다. 당신의 어린 시절을 떠올려보라. 난생처음 수영장에 갔을 때 '수영

같은 거 하나도 재미없어'라며 물에 들어가는 것을 필사적으로 거부했다. 울고 떼를 쓰며 부모님께 매달렸다. 그러다가 주위를 둘러보자 아이들이 물장난하며 즐겁게 놀고 있었다. 망설이며 물에 들어간 순간 상상을 초월하는 즐거운 세계가 펼쳐졌다.

그런 어린 시절의 호기심을 떠올려보라. 그것이 지금까지 당신의 착각을 바꾸는 계기가 될 것이다. 영어 비즈니스 서적을 읽을 수 없다는 착각은 미지의 세계에 대한 공포에 불과하다. 그 착각을 호기심으로 살짝 흔들어보라. 그러면 당신의 눈앞에 영어 비즈니스 서적을 이해할 수 있는 세계가 펼쳐질 것이다.

02

모국어가 아니니까 영어를 읽을 수 없다는 오해

영어 비즈니스 서적을 3시간 만에 이해하는 방법을 가르쳐 주기 전에 '영어를 읽을 수 있다'라는 말이 어떤 뜻인지 설명하겠다. 고백하자면 나는 미국의 대학원을 두 군데나 졸업한 주제에 귀국한 뒤로는 한동안 영어 비즈니스 서적을 한 권도 읽지 않았다. 필요에 쫓기지 않으면 도저히 원서 한 권을 끝까지 읽을 수 없었기 때문이다.

물론 일본인치고 내 영어독해 실력이 나쁜 편은 아니다. 대학원에 다닐 때는 엄청난 양의 영어 문헌을 읽었다. 미국의 대학에서는 수업에 출석하기 전에 두꺼운 교과서와 많은 리포트, 그리고 교수가 작성한 자료를 읽어야 한다. 예습을 전제로 수업이 진행되기 때문이다.

특히 경영대학원에는 '사례 연구(Case Study)'라는 게 있다. 비즈니스 사례를 해설한 리포트를 읽고, 자신이 담당자라면 어떻게 대응했을지 수업 시간에 그룹별로 토론하는 것이다. 당연히 자료를 훑어보기만 해서는 어림도 없었다. 내용을 깊이 이해해야 했다. 나는 4년 동안 매일 엄청난 양의 영어 문헌을 읽었다. 덕분에 성적은 나빴지만, 그럭저럭 무사히 졸업할 수 있었다.

"역시 대학원까지 나온 간다 씨는 영어도 술술 읽을 만큼 독해력이 뛰어나겠죠?"

그렇게 생각하는 사람도 있을 것이다. 지금 현실을 고백하겠다. 솔직히 교과서를 읽고 나서 30퍼센트쯤 이해가 되면 그나마 다행이었다. 늘 알 것 같기도 하고, 모를 것 같기도 한 애매하고 불안한 기분으로 수업에 참여했다. 나는 30퍼센트밖에 이해할 수 없는 상태로는 수업 시간에 창피를 당할까 봐 같은 자료를 몇 번이나 읽고 또 읽었다. 양이 너무 많아서 매일매일 도서관에 틀어박혀 새벽 2시까지 공부해야 했다.

고생고생하며 필사적으로 영어를 읽었다. 그러나 이해할 수 없었다.

상식적인 의미로 볼 때 요즘 나는 영어를 읽지 않는다. 그러나 이해 할 수는 있다.

필요하면 하루에 30권 가까운 원서를 읽을 수 있다. 이처럼 독서에 대해 전혀 다른 세계관을 갖게 된 계기가 있다. 바로 가속 학습법의 권위자인 폴 쉴리(Paul R. Scheele)가 개발한 '포토리딩(The Photo Reading Whole Mind System)' 덕분이다. **포토리딩을 알게 된 후로 나의 비즈니스 서적을 읽는 방법은 확 달라졌다. 영어를 읽을 때 스트레스를 받지 않게 되었고, 영어가 모국어인 사람 이상으로 원서를 읽을 수 있게 되었다.**

대학원 시절 영어 독해력이 떨어졌던 건 영어 실력 때문이 아니라는 사실도 깨달았다. 누구나 영어가 모국어인 사람은 아무 고생 없이 영어를 읽을 수 있다고 생각한다. 실제로는 영어가 모국어인 사람 중에도 영어를 읽을 때 고생하는 사람들이 많다.

예를 들어 미국인의 열 명 중 한 명은 난독증을 앓고 있다고 한다. 이들은 글자를 봐도 뜻을 파악하기 어렵고 문자 정보를 처리할 만한 집중력이 부족하다. 원인은 문자와 음소(音素, 말의 뜻을 구별하는 최소의 언어단위)가 일치하지 않는 뇌의 장애 때문이며, 지금까지는 병으로 인식되었다.

그러나 난독증 환자 중에는 스포츠나 예술 분야에서 천재적인 능력을 발휘하는 사람이 많다. 유명한 인물로 톰 크루즈(Tom Cruise)를 꼽을 수 있다. 시대가 시대이니만큼 정확한 진단은 내려지지 않았지만, 토머스 에디슨(Thomas Edison)과 천재라 불리는 아인슈타인(Albert Einstein)도 난독증이었을 것이라고 한다. 요즘은 난독증이 병이 아닌 오히려 '재능'이라는 견해가 많아지는 추세다.

어쨌든 모국어라고 해서 반드시 영어를 읽을 수 있는 것은 아니라는 얘기다. 이 사실을 통해 내가 느낀 것은 '영어는 본래 읽기 어려운 언어가 아닐까'하는 점이다. 학술적으로 증명된 것은 아니지만, 영어권 사람이 영어를 읽는 것은 일본인이 일본어를 읽는 것보다 어려운 듯하다. 내 추측으로는 상형문자와 음소문자의 차이 때문이 아닐까 싶다.

영어는 상형문자가 아니어서 직감적으로 의미를 파악할 수 없다. 이런 언어의 특성상 네이티브 스피커(Native Speaker, 원어민)도 영어 원서를 읽는 데 긴 시간이 걸린다. 그래서 영어 비즈니스 서적은 독자가 효율적으로 내용을 파악할 수 있도록 구성되어 있다. 따라서 가속 교육의 정보처리법과 비즈니스 서적의 편집 구도를 알면 단시간 내에 내용을 이해할 수 있다.

03

영어 정보 대량 입력
: 두꺼운 비즈니스 서적을 3시간 만에 읽어보자

실제 어떤 방법으로 비즈니스 서적을 3시간 만에 읽는지 직접 보여주도록 하겠다.

여기 두꺼운 책 한 권이 있다. 예전부터 읽고 싶긴 했으나 계속 책장에 꽂아두기만 했던 책이다. 제목은 《이윤 창출을 위한 여러 가지 패턴(Profit Patterns)》이다. 저자는 에이드리언 J. 슬리워츠키(Adrian J. Slywotzky), 데이비드 J. 모리슨(David J. Morrison), 테드 무제(Ted Moser), 케빈 A. 먼트(Kevin A. Mundt), 제임스 A. 켈라(James A. Quella) 다섯 명이다. 톰 비즈니스에서 발행한 총 432페이지의 두꺼운 서적으로, 일본어로 번역하면 1,000페이지 가까이 될 테니 번역될 가능성은 거의 없다.

그럼 지금부터 이 책을 얼마나 이해할 수 있을지 도전해보겠다. 먼저 스톱워치를 준비했다. 지금 시간은 오전 11시, 오후 2시까지 내가 이 책을 얼마나 이해할 수 있을까? 말해두지만 절대 조작이 아니다. 그럼 시작하겠다. 준비, 시작!

3시간이 지났다. 그럼 어떤 내용이 적혀 있었는지 요점만 간략하게 설명하도록 하겠다(긴 내용이니 인내심을 갖고 읽어주기를 바란다).

이 책은 기업이 이윤을 창출하는 30가지 패턴을 해설한 책이다. 저자는 기업을 둘러싼 환경의 변화 속도가 매우 빠른 현재에는 이윤을 창출하는 패턴을 잘 파악하여 업계가 나아갈 방향을 예측해야 한다고 주장한다.

지금까지는 이윤을 창출하는 패턴이 비교적 오랫동안 지속했기 때문에 기업실적의 움직임을 패턴으로 인식할 필요는 없었다. 그러나 이제는 '돈을 버는 패턴'을 예측하지 않으면 기업은 커다란 위험 부담을 안게 된다. 그리고 아무리 복잡해 보이는 비즈니스도 공통점을 찾으면 '돈을 버는 패턴'은 30가지 정도로 압축된다.

30가지 패턴은 다음과 같다.

이익이 제로가 되는 패턴, 이익이 부활하는 패턴, 몇 가지 업

계가 통합해서 하나가 되는 패턴, 고객의 중간층이 없어지는 패턴, 업계 표준이 되는 패턴, 기술 혁신이 업계 지도를 바꾸는 패턴, 가치 사슬(Value Chain)이 변하는 패턴(분할, 단축, 취약한 부분을 강화, 재통합), 고객이 변하는 패턴(이윤을 낳는 고객층의 이동, 더욱 상세한 고객층 설정, 유통과 고객의 힘 균형 이동, 고객의 재정의), 유통이 변하는 패턴(다채널화, 집중채널화, 압축, 부가가치 유통), 상품이 변하는 패턴(브랜드화, 블록버스터화, 같은 상품에서 몇 번이나 이윤이 창출되는 패턴, 정점의 상품은 이윤을 창출하지 않아도 저변 상품이 이윤을 창출하는 피라미드 패턴, 문제 해결로 이윤을 창출하는 패턴), 노하우 상품화 패턴(고객 지식의 심화가 이윤을 창출하는 패턴, 오퍼레이션의 노하우화, 노하우의 상품화)이다.

중요한 것은 자사의 업계에서 이 30가지 패턴 중 어떤 패턴이 차세대의 이윤을 창출할지 예측하는 것이다. 새로운 패턴이 나타나기 전에는 반드시 신호가 있다. 현재의 패턴이 어떻게 변화하고 있는지, 앞으로 어떤 패턴이 유력해질 것인지 항상 주의 깊게 살펴야 한다.

내가 이 책을 읽고 깨달은 점은 변화 속도가 빠른 사회에서 복잡한 비즈니스 상황을 판단하기 위해서는 패턴 인식이 매우 효과적이라는 것이다. 사람들은 대부분 자신에게 일어난 일은 전혀 별개의 특별한 현상이라고 생각한다. 그러나 보다 큰 관점

에서 보면 그것도 하나의 패턴에 불과하다. 그리고 패턴이 변화할 때는 반드시 사전에 신호가 있기 마련이다. 즉 패턴을 알면 다음에는 무슨 일이 일어날지 예측할 수 있는 것이다.

이런 내용이다. 휴~ 한 10분쯤 얘기했나. 각 패턴을 하나하나 설명하고 그 패턴으로 돈을 버는 방법을 이야기하자면 50분은 필요할 것이다. 어떤가?

"간다 씨는 그 정도야 별것도 아니지 않나요? 대학원까지 졸업했는데 그 정도도 못 하면 어찌합니까?"

너무 몰아붙이지 말라. 아까도 말했듯이 예전 같았으면 이 책을 3시간 만에 읽는 것은 꿈도 꾸지 못했을 것이다. 게다가 지금 사용한 방법을 활용하여 비즈니스 서적을 이해할 수 있게 된 사람은 나뿐만이 아니다. 지금까지 원서와는 인연이 없었던 사람도 나와 마찬가지로 원서를 읽고 이해할 수 있게 되었다.

내가 이 책의 정보를 처리하기 위해 사용한 방법은 1권에 소개한 모든 의식 체계를 이용한 '포토리딩'이라는 독서법이다. 이 방법은 지금까지 학교에서 배웠던 독서법과는 크게 다르다.

책을 처음부터 끝까지 한 단어, 한 구절 빠짐없이 읽는 것이 학교에서 배운 방법이었다. 시험지에 정답을 쓰기 위해서는 좋은 방법이었을지도 모른다. 그러나 비즈니스 현장에서는 당신을 채점하는 사람은 아무도 없다. 책의 요점을 빨리 파악하고 그것을 자신의 상황에 맞도록 활용하는 게 중요하다.

예를 들어 영어독해 시험을 전제로 《이윤 창출을 위한 여러 가지 패턴》을 읽으면 사전을 찾는 시간까지 포함해서 자칫하면 한 달은 걸릴지도 모른다. 그러나 포토리딩을 이용하면 3시간 만에 읽을 수 있다.

04

포토리딩 현장을 실황 중계한다

포토리딩에 대한 이해를 돕기 위해 앞서 내가 어떤 방법으로 책을 읽었는지 비디오를 다시 앞으로 돌려 재현하겠다(포토리딩에 흥미가 있는 분은 폴 R. 쉴리의 번역본을 읽어보기를 바란다. 이 책은 누구나 25분 만에 읽을 수 있게 구성되어 있다). [해당 서적은 한국에도 《포토 리딩: 지금보다 책을 10배 빨리 읽는 독서 기술》로 출간된 바 있다.]

실황 중계는 아나운서 타카시마 씨에게 맡긴다.

타카시마 씨, 부탁합니다. 들리십니까?

네, 저는 현장에 나와 있는 타카시마 아키라입니다. 간다 씨는 《이윤 창출을 위한 여러 가지 패턴》을 읽었습니다. 그 모습을 촬영해 테이프에 담아두었습니다. 정말 속임수를 쓴 게 아닐까요? 이 촬영 테이프에 그 전모가 담겨 있습니다.

간다 씨는 대체 무슨 수로 3시간 만에 저 두꺼운 책을 이해한 것일까요? 그 비밀을 지금부터 파헤쳐보겠습니다.

먼저 촬영 테이프를 빨리 감기로 되돌려보도록 합시다.

[STEP 1] 준비(45초)

책 표지와 뒤표지를 살펴보고 있습니다.

[STEP 2] 프리뷰(1분 15초)

다음으로 차례 페이지를 펼쳤습니다. 빠른 속도로 페이지를 넘겼다가 앞 페이지로 돌아오기를 반복하고 있습니다. 내용을 살펴보며 뭔가를 생각하고 있는 것 같습니다.

[STEP 3] 포토리딩(8분)

응? 이번에는 이상한 짓을 하기 시작했습니다. 책을 거꾸로 들고 마지막 페이지부터 넘기고 있습니다. 책장을 넘기는 속도가 너무 빨라서 빨리 감기로 보면 뭘 하고 있는지 알 수가 없습니다. 대체 이 사람은 무엇을 하는 걸까요? 3시간 동안에 이 두

꺼운 비즈니스 서적을 읽어야 한다는 부담감 때문에 미치기라도 한 걸까요?

[STEP 4] 활성화(2시간 20분 중 점심시간 60분)

페이지를 끝까지 넘기고 나서는 잠시 생각에 잠겨 있습니다. 이번에는 책을 똑바로 들고 아무 페이지나 펼치기 시작합니다. 한 페이지를 보고 나서 다음 챕터로 넘기는 식입니다. 노트를 펼치고 뭔가를 적기 시작합니다.

앗, 식사하러 나가버렸습니다. 배가 고팠던 걸까요? 집 근처의 국숫집으로 들어갑니다. 주문한 국수가 도착했습니다. 메밀국수로군요. 맛있게 먹고 있습니다. 하지만 3시간도 빠듯한 마당에 여유 있게 국수를 먹어도 되는 걸까요? 한 시간이나 허비한 후에 집으로 돌아왔습니다.

이번에는 책과 노트를 펼치고 책을 보며 노트에 뭔가를 메모하기 시작했습니다. 남은 시간은 1시간 30분뿐입니다. 정말 괜찮을까요?

[Step 5] 고속 리딩(30분)

마지막으로 첫 장부터 마지막 장까지 순서대로 읽기 시작했습니다. 전부 읽는 게 아니라 각 장의 첫 부분과 끝부분만 꼼

꼼꼼하게 읽고 있는 것 같습니다. 상식적인 의미로 볼 때 읽는다고 말할 수 있는 행동은 이번이 처음입니다. 아, 시간이 다 됐습니다.

결국 3시간 만에 읽겠다고 해놓고, 그중 한 시간은 책을 쳐다보지도 않았습니다. 또 책을 거꾸로 들고 페이지를 넘기는 등 실로 기묘한 행동을 보였습니다. 영문을 알 수 없습니다. 대체 뭘 하고 있었던 걸까요? 간다 씨의 설명을 들어봐야 할 것 같습니다.

그럼 간다 씨, 부탁드립니다.

05

비즈니스 영어 포토리딩 5가지 스텝

그럼 다시 순서에 따라 포토리딩을 설명하겠다. 이 방법은 리포트, 논문, 소설, 교과서, 매뉴얼 등 모든 문서에 응용할 수 있다. 그러나 여기서는 영어 비즈니스 서적에 초점을 맞춰 설명하겠다.

포토리딩은 모두 5단계로 이루어져 있다.

[STEP 1] 준비 단계
: 목적을 명확히 설정한다

먼저 나는 앞표지와 뒷표지를 살펴보았다. 대체 무엇을

하고 있던 것일까? 이 책을 읽는 목적을 설정하고 있었다. 'CHAPTER 2'에서 설명했듯이 명확한 목적의식을 지닌 순간 우리의 우뇌는 목적 달성에 필요한 정보를 1초에 1,000만 비트 속도로 검색하기 시작한다. 목적이 없으면 뇌는 무엇을 찾아야 할지 모른 채 계속 잠들어 있다.

STEP 1에서는 책을 읽는 목적을 명확하게 설정한 것이다.

그럼 당신에게 한 가지 질문을 하겠다. 책을 읽을 때는 어떤 목적을 지녀야 할까?

"독서의 목적은 새로운 지식을 얻는 것 아닌가요?"

그것도 나쁘지 않다. 단 'GIGO(Garbage In, Garbage Out)의 원칙'을 떠올리자. 즉 구체적인 아웃풋은 구체적인 인풋에 의해 이루어진다. 구체적인 검색 결과를 얻기 위해서는 뇌의 검색 엔진에 구체적인 목적을 집어넣어야 한다.

"어쩌죠. 구체적인 목적이 떠오르지 않아요."

독서의 목적을 설정하는 것은 간단해 보이지만 실은 매우 어렵다. 예를 들어 '인생의 목적은 무엇입니까?'라는 질문을 받으면, 평생이 걸려도 그 답을 찾지 못할 수도 있다. 마찬가지로 막상 독서의 목적을 설정하려면 고민에 빠지기 마련이다.

그럼 독서를 효율적으로 만드는 목적 설정 법을 알려주겠다. 비즈니스 서적의 경우 독서의 목적은 다음 3가지로 축약할 수 있다. 당신은 그중 하나를 선택하기만 하면 된다.

첫째, 책의 개요를 이해한다.

개요를 전반적으로 이해하고 설명하기 위해 이 책을 읽는다.

매우 일반적인 목적이다. 가속 학습의 원리 원칙 중에는 뭔가를 가장 효율적으로 습득하려면, 남에게 가르치는 것을 상상하라는 원칙이 있다. 남에게 설명하는 상상을 하며 책을 읽으면, 내용을 이해하거나 기억하기도 쉽다.

둘째, 책에서 얻은 지식을 일에 활용한다.

일에 도움이 되는 지식을 얻기 위해 이 책을 읽는다.

이것도 이해하기 쉽고 좋은 목적이다. '내일 ○○에 도움이 되는 지식을 얻기 위해 이 책을 읽는다'라는 문장의 ○○에 구체적인 단어를 적어보자. 내일 조례에 도움이 되는 지식을 얻기 위해, 내일 거래에 도움이 되는 지식을 얻기 위해 등 뭐든지 좋다. 물론 시기는 내일이든 모레든 한 달 후든 상관없다.

더욱 구체적인 정보를 얻고 싶으면 구체적인 숫자를 넣어 목적을 설정하도록 하라. '거래에 도움이 되는 아이디어 3가지를 얻기 위해 이 책을 읽는다.' 이런 식으로 말이다. 그러면 세 가지 아이디어를 발견한 순간 당신의 작업은 완료될 것이다.

셋째, 목적을 알 수 없는 경우

목적을 알 수 없는 경우는 의외로 많다.

사람들은 대부분 자신이 정말로 좋아하는 게 무엇인지도, 자신이 어디로 가야 하는지도 잘 모른다. 그런 건 부딪치면서 차츰 알게 되는 것이기 때문이다. 목적을 모르는 것은 당신 잘못이 아니다. 그렇다면 목적이 없는 경우, 어떻게 하면 좋을까? 간단하다. **'지금 내가 알아야 할 가장 중요한 아이디어를 얻기 위해 이 책을 읽는다'라고 설정하면 된다.**

더욱 구체적으로 설정하고 싶으면 아까와 마찬가지로 이렇게 하면 된다. '지금 내가 알아야 할 중요한 아이디어 세 가지를 얻기 위해 이 책을 읽는다.' 충분히 명확한 목적이다.

내가 **《이윤 창출을 위한 여러 가지 패턴》**을 읽기 전에 설정한 목적은 '첫째, 책의 개요를 이해하고 설명'하는 것이다. 내가 책의 표지와 뒤표지를 보며 생각에 잠겼던 것은 어떤 목적을 선택할지 정하기 위해서였다. 참고로 이때 앞표지와 뒷표지의 영문을 읽었냐고 묻는다면 대답은 NO. 문장은 읽지 않았다. 아는 단어를 찾았을 뿐이다. 이유는 문장을 읽으면 시간이 걸리기 때문이다.

STEP 1에서는 그 정도면 충분하다. 오히려 지나치게 시간을 끌지 않는 편이 좋다. 너무 시간을 끌면 오히려 스트레스 때문에 읽을 의욕을 잃는다.

[STEP 2] 프리뷰 단계
: 책의 구성을 확인한다

나는 책의 앞표지와 뒷표지에 이어 차례를 살펴보았다. 1분밖에 걸리지 않았지만, 이것은 지극히 중요한 작업이다. 나는 무엇 때문에 차례를 살펴본 것일까. 저자의 논리 구축 패턴을 이해하기 위해서다.

좀 더 쉽게 말하자면 저자가 자신의 의견을 어떤 식으로 전개해나갈지 알아두기 위해서다. 그것이 프리뷰(Preview)다. 책의 전체적인 구성을 파악해두면, 그 후 대량의 정보를 흡수할 때 내용의 흐름을 잃지 않을 수 있다.

예를 들어 강연을 들으러 갔다고 가정해보자. 강연이 시작되기 전 강사는 '오늘은 먼저 이 얘기를 하겠습니다', '다음에는 이 얘기를', '마지막으로 이 얘기를 하겠습니다'라고 말한다. 이런 식으로 먼저 전체적인 구성에 대한 설명을 듣고 나면 강연의 흐름을 잃지 않고 정보를 흡수할 수 있다.

반면 맥락을 모른 채 다짜고짜 강연을 듣기 시작하면 끝날 때까지 무슨 말을 하는 것인지 파악하지 못할 수도 있다. 따라서 '책의 설계도'를 사전에 확인해두면 저자가 하고 싶은 말을 더욱 쉽게 파악할 수 있다. 또 나중에 필요한 부분을 찾기에도 수월하다.

그럼 영어 비즈니스 서적은 어떤 논리로 구성되어 있을까?

비즈니스 서적의 논리 전개 방식은 크게 'HOW TO 설명형'과 '타입 분석형'으로 분류된다. 이 두 타입은 각각 50퍼센트씩 비율을 차지하고 있다.

'HOW TO 설명형'이란, 어떤 결과를 얻기 위해서는 '이런 일들을 하면 된다'라는 내용의 책이다. 이 HOW TO 설명형은 다시 '정신론'이 중심인 경우와 실천적인 '기술론'이 중심인 경우로 나뉜다. '정신론'이 중심인 책에서는 '상사는 자신에게 엄격해야 한다', '늘 진취적으로 생각해야 한다' 등 결과를 얻기 위한 마음가짐을 다룬다. '기술론'이 중심인 책에서는 '아침에 한 시간 일찍 일어난다', '매일 최소한 30분씩 운동한다' 등 실천해야 할 행동을 다룬다.

HOW TO 설명형이 더 구체적으로 발전하면 요리 레시피처럼 행동 순서까지 정해진다. '먼저 이걸 하고 다음에는 저걸 하라.' 이런 식으로 결과를 얻기 위한 방법론을 제시하는 것이다. 이상이 'HOW TO 설명형' 비즈니스 서적의 특징이다.

‘타입 분석형’이란, ‘어떤 결과를 얻기 위해서는 이런 타입과 저런 타입이 있다. 어느 쪽을 선택할지는 당신 마음이다’라는 내용의 책이다.

《이윤 창출을 위한 여러 가지 패턴》의 부제는 〈전략적 사업 재구축을 통한 이윤 창출과 미래 예측의 30가지 방법(30 Ways To Anticipate And Profit From Strategic Forces Reshaping Your Business)〉이다. ‘30 Ways’ 어쩌고저쩌고 적혀 있는 것만 봐도 알 수 있듯이 이 책은 ‘타입 분석형’이다. 30가지 Profit, 즉 ‘이윤’을 창출하는 패턴이 적혀 있다. 어떤 패턴을 실행해야 이윤이 창출되는지는 기업에 따라 다르다. 따라서 저자는 전략을 실행하기 전에 먼저 기업을 분석해야 한다고 주장한다.

타입 분석형은 하나의 방법론으로 결과를 얻는 방법을 설명할 수 없는 경우에 사용한다. 비즈니스와는 관계없지만 ‘점술 관계 서적’이 그 전형적인 예다. 예를 들어 별자리 책에는 ‘쌍둥이자리는 이래야 한다’, ‘물고기자리는 이래야 한다’, ‘사자자리는 이래야 한다’ 등 12가지 타입별 공략법이 적혀 있다.

이처럼 비즈니스 서적은 크게 분류하면 ‘HOW TO 설명형’과 ‘타입 분석형’으로 나뉜다. 물론 이 두 타입이 혼합한 경우도 있지만, 타입을 분석한 뒤 구체적인 HOW TO를 제시하면 내

용이 너무 복잡해진다.

별자리 책을 예로 들겠다.

"○○자리인 당신은 이런 성격이니까 억만장자가 되려면 먼저 이걸 하고, 다음에는 이걸 해야 한다."

이래서는 너무 복잡해서 도저히 책을 쓸 수가 없다. 두 타입 모두 큰 개념부터 설명한 다음 상세한 내용을 전개한 후 결론을 맺는다.

이처럼 책을 읽기 전에 어떤 방향으로 논리가 전개되는지 파악해두면 다음 포토리딩 작업에서 더욱 좋은 효과를 얻을 수 있다. 또 책의 내용을 정리할 때도 어떤 정보가 어디에 있는지 찾아내기 수월해져서 시간을 크게 단축할 수 있다. 겨우 1분만 투자하면 이렇게 큰 효과를 얻을 수 있는 것이다.

[STEP 3] 포토리딩 단계

: 모든 텍스트 정보를 뇌에 다운로드한다

'포토리딩'이란 책을 펼쳐서 마주 보는 두 페이지를 한 장의 사진처럼 뇌에 촬영하는 것이다. 이 포토리딩은 모두 '5가지 스텝'으로 이루어져 있으며, 우뇌와 좌뇌를 모두 활용하는 독서법이다.

STEP 3은 '우뇌를 이용하여 정보를 흡수하는 방법'이다. 이 단계에서 나는 책을 거꾸로 들고 1초에 한 장씩 페이지를 넘겼다. 내용을 읽은 것이 아니다. 어디까지나 페이지 전체를 그림처럼 바라본 것뿐이다.

당연히 문자는 읽지 않았다. 따라서 영어를 모르는 사람도 전혀 스트레스를 받을 필요가 없다. 그러나 '이런 속도로 페이지를 넘기는 데에 과연 무슨 의미가 있는 걸까?'라는 의문이 생길 것이다. 이런 의문을 해결하기 위해 기억에 관한 이론을 소개하겠다.

독서를 할 때 뇌 안에서는 과연 어떤 일이 일어나고 있을까? 여기 무수한 실로 이루어진 거대한 3차원 구체가 있다고 상상하자. 이것을 '기억망(Memory Web)'이라고 하겠다. 기억망은 무수한 '기억 섬유(Memory Thread)'로 이루어져 있다. 즉 '기억한다'라는 건 기억망 속에 기억 섬유가 존재하는 것이다. 반대로 '기억하지 않는다'라는 건 기억망 속에 기억 섬유가 존재하지 않는 것이다.

즉 독서를 할 때 얻은 새로운 정보가 뇌와 접촉하면 새로운 기억 섬유가 형성되어 기존의 기억망과 결합한다. 그 결합이 느슨할 경우, 무엇을 읽었는지 떠올릴 수 없다. 그러나 그 기억 섬유를 여러 번 반복해서 사용하면 기억 섬유는 기존의 기억망에 단단히 결합한다. 그 결과 기억을 떠올리기 쉬워지는 것이다(엄밀하게 기억은 신경회로의 새로운 패턴이 형성되는 것이다. 신경세포끼리 접속하는 시냅스 사이의 전도효율이 높아지면 기억한 정보를 떠올리기 쉽다.).

여기서 중요한 점은 포토리딩에 의해 시각 정보가 뇌에 전송되면 느슨하긴 해도 기억 섬유가 기억망에 결합한다는 사실이다. 그래서 포토리딩을 한 책은 '익숙함'이 느껴진다. 어쨌든 뇌가 자극을 받아 기억 섬유를 만들기 시작하면 단시간 내에 뇌로 대량의 정보를 다운로드하는 편이 좋다는 얘기다.

그러기 위해서는 어떻게 하면 좋을까? '좌뇌'와 '우뇌'의 역할을 떠올려보자. '좌뇌'는 숫자와 언어를 처리하는 분석적인 뇌다. 그에 비해 '우뇌'는 화상과 음악을 처리하는 감각적인 뇌다.

분석적인 좌뇌는 1초에 40비트 정도의 정보를 처리한다. 한 점에 집중하여 명확하게 이해하는 것이 특기다. 따라서 문장을 한 단어나 한 구절씩 읽어나갈 때는 좌뇌가 사용된다. 이때 좋은 점은 읽은 순간 의미를 이해할 수 있다는 것이다.

그에 비해 우뇌는 1초에 1,000만 비트 이상의 정보를 처리한다. 빠른 속도로 이동하는 넓은 범위의 정보를 처리할 때 적

합하다. 단 처리 속도가 빠르지만, 정보의 내용을 설명할 수는 없다. 이 역할에 따라 생각해보면 좌뇌는 정보를 분석하고 편집할 때 도움이 되고, 우뇌는 정보를 대량으로 처리하고 축적할 때 도움이 된다. 컴퓨터를 예로 들자면, 좌뇌는 컴퓨터 화면이고 우뇌는 하드디스크인 셈이다.

이 메커니즘을 전제로 삼았을 때 독서에 가장 효율적인 방법은 우뇌로 정보를 흡수·축적하고, 좌뇌로 남에게 설명할 수 있을 만큼 명확하게 의식하는 것이다. 1초에 한 페이지씩 책을 넘기는 포토리딩으로 우뇌를 활용한 후에는 우뇌에 축적된 정보를 좌뇌로 옮겨서 이해하는 활성화 단계로 들어가게 된다.

포토리딩은 우뇌와 좌뇌의 특성을 살린 효과적인 독서법이다.

06

누구나 할 수 있는 우뇌 활성화 스위치

이론은 대충 이해했지만, 대체 어떻게 하면 우뇌를 활용할 수 있을까? 본격적인 우뇌 활용법에는 호흡법 활용 등 다양한 기술이 있다. 하지만 걱정할 필요가 없다. 책을 읽을 때는 굳이 고도의 우뇌 활용법이 필요하지 않다. 우리가 이미 사용하고 있는 능력을 독서에 맞는 형태로 고치면 된다. 게다가 사실 우뇌에 접속하는 스위치가 있다. 그 스위치란 바로 '눈'이다.

'본다'의 뜻을 지닌 한자는 매우 다양하다. 대표적인 한자로 '견(見)'과 '관(觀)'이 있다. 견(見)은 눈의 초점을 맞춰 물끄러미 볼 때 쓰고, 관(觀)은 넓은 시야로 전체를 볼 때 쓴다. 예로 테니스 선수가 빠르게 움직이는 상대방의 동작을 살피고 예측할 때는 '관(觀)', 상대방의 공을 칠 때는 '견(見)'이다. 이것은 테니스 뿐만 아니라 다른 스포츠도 마찬가지다.

뭔가를 이해하고 분석하기 위해서는 '견(見)', 전체를 파악하고 맛보기 위해서는 '관(觀)'이다. **예로 '견학(見學)'과 '관찰(觀察)'이 있다. 이 두 가지 눈의 사용법을 독서에 활용하자. 빠른 속도로 정보를 흡수할 때는 '관'이고, 분석과 편집을 해서 명확하게 이해할 때는 '견'이다.**

그럼 실제로 우뇌를 활용해서 책을 보려면 어떻게 해야 할까? 먼저 책을 펼치고 그림을 감상하듯 페이지를 바라본다. 책의 여백까지 눈에 들어오도록 멍하니 전체를 바라보자. 글자가 아닌 여백이나 글자와 글자 사이의 공백에 의식을 집중하라. 이런 식으로 보면 글의 내용도 머리에 들어오지 않고, 눈이 흐릿해져서 잘 보이지 않기도 한다.

즉 어떤 한 점을 응시하는 것이 아니라 그림을 관찰하듯 전체를 보는 것이다. 그러면 화상처리에 적합한 우뇌에 접속할 수 있다.

그럼 내가 책을 거꾸로 들었던 이유는 뭘까? 우뇌는 시각 정보를 화상으로 인식하기 때문에 전후, 좌우가 상관이 없다. 물론 똑바로 들고 봐도 상관은 없다. 다만 나는 무심코 문자를 읽으면 좌뇌의 분석 기능이 우위를 차지한다. 즉 문장의 의미를 이해하려는 좌뇌로 인해 책 읽는 속도가 떨어져서 좌뇌의 활동을 막으려고 일부러 거꾸로 들고 본 것이다.

"그게 정말 가능한가? 믿을 수 없어."

당신의 마음은 나도 안다. 처음엔 나도 반신반의했다. 그러나 나는 이 방법을 활용하기 시작했다. 그 결과 이젠 없어서는 안 될 습관이 되었다. 나 같은 직업을 가진 사람은 책을 쓰기 위해 영어 문헌을 하루에도 몇 권씩 읽어야 할 때가 있다. 이 기술이 없었더라면 도저히 해나갈 수 없었을 것이다.

"포토리딩을 하면 책 한 권을 전부 이해할 수 있나요?"

설마, 그럴 리가. 그게 가능하다면 그야말로 초능력이다. 아무리 나라도 초능력은 없다. 정말이다. 물론 세상에는 책을 대충 넘겨보기만 하면 어떤 내용이 적혀 있는지 전부 대답할 수 있는 사람도 있기는 하다. 포토리딩을 프로모터하는 회사(미국 미네소타주에서는 학교 법인으로 인정받고 있다)의 사장인 피터 베네트(Peter Bennett)는 TV 방송에 출연해 방청객들 앞에서 책 한 권을 훑어본 후 모든 질문에 정확하게 대답했다고 한다.

또 쇼와 시대(1926년 12월 25일~1989년 1월 7일)에 활약한 무술가이자 '히다식 강건술'을 창시한 히다 하루미치(Hida Harumichi)는 눈을 가린 상태에서 옆방에 있는 사람이 들고 있는 책의 내용을 술술 읽었다고 한다. 그것도 문이 닫혀 있는 상태에서. 이런 초인적인 기술을 지닌 사람은 분명히 존재한다. 그러나 포토리딩은 초능력자를 만드는 기술이 아닌 누구나 할 수 있는 실용적인 기술이다.

사설이 조금 길어졌다. 다시 촬영 테이프 설명을 계속하겠다. 이제 책 한 권을 1초에 한 페이지씩 넘기는 포토리딩 작업을 마쳤다. 세 번째 스텝까지 마치고 난 지금 나는 이 책을 어느 정도 이해하고 있을까? 실은 거의 이해하지 못했다. 내가 파악한 것은 저자가 어떤 주장을 펼치고 있느냐 정도다.

지금은 정보를 뇌의 '하드디스크(우뇌)'에 넣어둔 것뿐이다. 이 단계에서는 하드디스크에 어떤 문서가 들어 있는지 '화면상(좌뇌)'으로는 보이지 않는다. 그럼 하드디스크에 들어 있는 문서를 컴퓨터 화면으로 보기 위해서는 어떻게 해야 할까? 그 파일을 끄집어내야 한다. 그 작업이 다음에 소개하는 '활성화 단계'다.

[STEP 4] 활성화 단계

: 다운로드한 정보를 의식 위로 끌어낸다

지금부터 포토리딩으로 뇌에 다운로드한 정보를 현재 의식으로 끌어내는 '활성화 작업'에 들어가겠다. 구체적으로는 어떻게 하면 좋을까? 촬영 테이프를 계속 재생하자. 활성화는 다음 네 가지 작업으로 이루어진다.

(1) 키워드를 노트에 적는다

포토리딩이 끝나자 이번에는 몇 페이지씩 마구잡이로 넘기기 시작했다. 어느 페이지라도 상관없는 모양이다. 눈에 띄는 중요해 보이는 단어, 즉 '키워드'를 노트에 적고 있다. 왜 키워드를 적는 것일까? 우뇌에 저장한 정보를 현재 의식으로 끌어내는 계기를 만들기 위해서다.

가끔 어떤 사람의 이름이 잘 생각나지 않을 때가 있다. 이럴 때는 '연상 작용'을 활용하는 것이 좋다.

"그 뚱뚱하고 안경을 쓴 사람."

"야마후지 씨의 친구였는데…"

"아, 스기야마!"

이런 식으로 그 사람과 관련된 정보를 더듬어 가면 찾고 있던 정보가 의식 위로 떠오른다. 포토리딩만으로는 책에 담겨 있는 정보가 머릿속에 입력된 것처럼 느껴지지 않는다. 그러나 핵심이 되는 키워드를 의식하면 그 키워드가 자극되어 잠재의식에 입력된 정보를 끄집어낸다. '떠올린다'는 느낌보다는 '모르는 사이에 이해가 된다'라는 느낌이다.

그럼 키워드는 어떻게 찾아야 할까? 주의할 점은 키워드란 반드시 문맥상 중요한 단어가 아니라는 것이다. 당신의 눈에 띄는 단어가 바로 키워드다. 다시 말해서 인상적이고 강렬하게 느껴지는 단어 말이다. 일반적으로 말하자면 여러 번 반복되는 말은 눈에 띈다. 따라서 키워드다.

책 뒤편에 인덱스가 있다면 몇 페이지에 걸쳐 사용되는 말을 힌트 삼아서 찾으면 된다. 차례나 소제목에 들어 있는 말도 눈에 띈다. 책 한 권당 보통 20~30개의 단어를 적어두는 것이 좋다.

(2) 책에서 얻고 싶은 정보를 끄집어내는 질문을 생각하고 노트에 적는다

책에서 얻고 싶은 정보가 무엇인지 확실하게 정한다. 그리고 그 정보를 끄집어낼 수 있는 질문을 생각한다. 이것이 가장 효과적인 독서의 원리 원칙이다. 질문을 받으면 뇌는 엄청난 속도로 그 대답을 찾기 때문이다.

책의 페이지를 넘기다 보면 대충 짐작이 갈 것이다. 이 질문의 답은 이 근처에 있을 것 같다는 느낌이 올 것이다. 그 부분을 읽으면 페이지를 전부 읽지 않아도 목적에 필요한 정보를 얻을 수 있다.

“하지만 얻고 싶은 정보 이상의 지식을 얻는 게 독서의 즐거움 아닌가요?”

물론 그렇기는 하다. 하지만 일단 원하는 정보를 얻은 후에 알고 싶은 사항이 생기거나 흥미를 느끼게 되는 경우가 많다. 따라서 비즈니스 서적은 먼저 질문을 생각한 후에 읽는 것이 좋다.

“그럼 어떤 질문을 하는 게 좋을까요?”

책의 종류가 정해져 있지 않다면, 자신의 상황과 책의 내용에 따라 다양한 질문이 발생하므로 매번 질문을 생각해야 한다. 그러나 비즈니스 서적을 읽는 목적은 대부분 정해져 있다. 다시 말하지만 가장 일반적인 목적은 ‘책의 개요’를 이해하는 것이다. 목적을 설정했을 때 얻고 싶은 결과가 무엇인지를 명확하게 이미지화하자.

어떤 결과를 얻어야 책의 개요를 이해했다고 할 수 있을까? 누군가에게 책의 내용을 다음과 같이 알기 쉽게 설명할 수 있다면 책의 개요를 이해한다는 목적을 달성했다고 봐도 좋지 않을까.

주제(Topic)	○○라는 저자가 쓴 ○○라는 제목의 책이다.
의견(Premise)	저자는 ○○에 대해 ○○라는 생각을 갖고 있다.
배경(Background)	이런 생각을 지닌 배경은 ○○이다.
근거(Proof)	저자의 ○○라는 생각에는 ○○라는 근거가 있다. 여기에는 실증사례 등도 포함한다.
결론(Conclusion)	그 결과 저자는 ○○라고 결론을 내렸다.
깨달음(Aha!)	이 책을 읽고 나는 특히 ○○을 깨달았다. 그래서 빨리 내 일의 ○○ 부분에 응용하고 싶다.

이런 식으로 설명할 수 있다면, 비즈니스 서적 한 권을 읽었다고 충분히 자랑할 수 있지 않을까. 바꿔 말하자면 저 문장을 완성할 수 있는 정보를 끌어낼 만한 질문을 준비해둬야 한다는 뜻이다.

책 한 권을 읽고 남에게 설명할 수 있을 만큼 정보를 끄집어내기 위한 질문은 다음과 같다. 마치 저자처럼 책에 대해 설명할 수 있도록 만들어주는 '마법의 질문'이다.

① 저자는 이 책에서 무엇을 말하고 싶은 것인가?

② 저자는 왜 이런 생각을 하게 되었는가?

③ 저자가 이런 생각을 하게 된 배경은 무엇인가?

④ 저자의 생각은 어떤 근거로 이루어져 있나?

⑤ 저자의 결론은 무엇인가?

⑥ 내가 깨달은 중요한 점은 무엇인가?

⑦ 그 깨달음을 실천에 옮기는 방법은 무엇인가?

이 일곱 가지 질문에 대한 대답을 책에서 찾아내라. 그러면 짧은 시간 내에 비즈니스 서적의 에센스를 이해할 수 있다. **처음에는 이 일곱 가지 질문을 노트에 적고 그 질문에 대한 정보를 적어나가도 좋다.**

참고로 이 지저분한 필기법은 '마인드맵(Mind Map)'이라는 방법이다. 우뇌의 발상력을 최대한 발휘하게 만들어 주는 매우 효과적인 필기법이다. 학교에 다닐 때 사용했던 위에서 아래로 중요한 사항을 적어나가는 방법은 결론을 분석하고 정리하기에 적합한 좌뇌적인 필기법이다.

그에 비해 마인드맵은 머리에 떠오른 아이디어를 방사형으로 적어나가는 우뇌적인 필기법이다. 마인드맵으로 필기할 때는 생각나는 대로 적은 다음 관련된 것들끼리 묶어나간다. 연상을 활용함으로써 상상력과 발상력을 향상하는 매우 우수한 필기법이다.

(3) 정보를 양성한다

나는 필요한 질문을 몇 가지 적은 후 점심을 먹으러 갔다. 이

과정은 사실 매우 중요한 의미를 지니고 있다. 대체 왜 식사를 하러 간 것일까? 배가 고팠기 때문만은 아니다. 포토리딩으로 흡수한 정보를 숙성시키기 위해서다.

앞에서 포토리딩으로 새로운 기억 섬유가 기존의 기억망에 느슨하게 결합하기 시작했다고 이야기했다. 그럼 이 새로운 정보가 지식이 되기 위해서는 무엇이 필요할까?

새로운 기억 섬유와 당신이 지닌 '기존의 지식', 즉 아까 적었던 '키워드'와의 결합을 단단하게 만들어야 한다. 이 결합을 단단하게 만들기 위해서는 '쉬는 것'이 매우 중요하다.

끙끙대며 고심할 때는 좀처럼 아이디어가 떠오르지 않는다. 오히려 욕조에 들어가서 편히 쉬고 있을 때 갑자기 좋은 생각이 떠오르는 경우가 많다. 정보를 이해하고 명확하게 만드는 작업을 할 때는 분석적인 좌뇌가 활약한다. 반면 아이디어를 떠올리는 작업(지식과 지식을 연결하는 작업)을 할 때는 우뇌가 활약한다.

즉 고심할 때는 좌뇌가 활약하기 때문에 우뇌의 발상력과 상상력이 작동하지 않는다. 우뇌를 작동하기 위해서는 일단 좌뇌를 현재 생각하고 있는 문제에서 떼어놓아야 한다. 따라서 문제를 잊어버리고 편히 쉬는 게 좋다.

그래서 나는 점심을 먹으러 간 것이다. **지식과 지식을 연결하는 작업은 뇌 안의 화학반응 같은 것이다. 한순간에 일어나는**

것이 아니라 어느 정도 숙성 시간이 필요하다. 아무리 빨라도 5분 정도는 걸린다. 비슷한 예로 잠자기 전에 질문을 생각하면 자는 동안 우뇌가 작동한다. 그리고 아침에 일어나서 다시 그 문제를 생각하면 의외로 쉽게 답을 발견하기도 한다. 뇌는 결코 놀고 있는 게 아니다.

그럼 식사를 하고 돌아오면 정보가 숙성되어 책의 내용을 전부 이해하게 될까? 그렇지는 않다. 그게 가능하다면 초능력이다. 이 시점에서는 대체 책을 어느 정도 이해하고 있을까? 책의 내용은 모르지만, 이 책에서 얻고 싶은 정보를 구체적으로 의식하기 시작한 상태다. 또한 '질문의 답은 이 근처에 있을 것 같다'라고 짐작한 상태다.

점심 식사를 마칠 무렵에는 '이 장부터 찾아볼까?' 하는 전략이 어렴풋이 결정된다. 동시에 '아마 답은 이런 느낌 아닐까?' 싶은 추측이 시작되는 경우도 많다. 이 단계에서 내가 이해한 것은 이 정도다. 하지만 서두를 필요는 없다. 실제로 책을 접한 시간은 아직 30분도 되지 않았으니까 말이다.

(4) 답이 있는 곳을 찾는다

자, 점심 식사를 끝내고 돌아왔다. **이번에는 점심 식사 전 노트에 적어둔 질문의 답을 찾는 작업이다. 페이지를 넘기며 답이**

있을법한 부분을 훑어보는 작업에 들어간다(이것을 '슈퍼 리딩/Super Reading'이라고 한다).

이 과정에 들어가기 전에 한 가지 참고가 될 만한 이야기를 다음 장에서 들려주겠다.

07

영어를 전혀 못하는 남자가 원서 한 권으로 부자가 된 이유

당신은 '그레코(Greco) 기타'를 아는가? 일본에서 생산한 기타로 기타 마니아들에게는 '그레코 레스폴' 등으로 유명한 기타 브랜드다. 이 기타를 제작한 '후지겐'은 1960년 외양간을 개조한 공장에서 창업한 지 26년 만에 세계적인 기타회사로 발돋움했다(당시 세계 1위 기타회사였던 펜더가 후지겐에 기타 제작을 부탁할 정도였다.)

이런 성공 뒤에는 후지겐의 창업자이자 회장인 요코우치 유이치로(Yokouchi Yuichiro)가 있다. 나는 요코우치 씨를 만난적이 있는데, 그에게 들은 이야기를 들려주겠다. 영어 비즈니스 서적을 읽으려는 사람에게는 분명 참고가 될 것이다.

요코우치 씨는 후지겐을 창업하기 전 농업 일에 종사했다. 사실 그는 진학을 바랐지만, 녹록지 않은 상황이었다. 어려서 일찍 아버지를 여의었으며, 게다가 집안의 장남이었다. 눈물을 머금고 진학을 포기한 그는 마지못해 농업을 시작했다.

그러나 '어떤 일'을 계기로 나가노 최고의 농가가 되고자 결심하고, 수확량을 얼마나 늘릴 수 있느냐에 도전했다. 연구를 거듭한 끝에 토양을 개선하면 같은 모종으로 가지를 몇 배나 수확할 수 있다는 사실을 발견했다.

요코우치 씨는 연구에 따라 전혀 다른 결과를 얻을 수 있다는 사실에 큰 흥미를 느꼈다. 그래서 낙농업에서도 같은 결과를 얻을 것이라는 생각을 하게 되었다. 당시 그가 기르는 젖소는 하루 20리터의 우유밖에 얻을 수 없었다. 어떻게 하면 더 많은 우유를 얻을 수 있을지를 조사했지만, 그 방법을 아는 사람은 없었다.

결국 요코우치 씨는 미국과 유럽의 낙농에 대한 정보를 얻기 위해 서점을 찾아갔다. 점원에게 좋은 책이 없냐고 물어보자, 책 한 권을 권해주었다. 그 책은 '원서'였다. 가격은 2,000엔, 당시로써는 굉장히 비싼 가격이었다. '그래도 없는 것보다는 낫다'라고 생각한 그는 큰맘 먹고 그 책을 주문했다.

책은 3개월 후에 도착했다. 서둘러 책을 펼친 순간 그는 충격을 받았다. 당연히 책은 전부 영어였고, 단 한 줄도 읽을 수 없었기 때문이다. 어쩔 수 없이 책은 없는 셈 치고 한동안 이런저런 연구를 했지만, 도저히 우유량을 늘릴 수 없었다. 그때 문득 그의 머릿속에 서점에서 산 영어 원서가 떠올랐다. 어떻게든 원서에서 2,000엔 가치의 정보를 얻고 싶다.

그는 다시 원서를 펼쳐보았다. 대충 훑어보자 젖소의 우유를 짜는 사진 한 장이 눈에 들어왔다. 사진 아래에는 설명이 적혀 있었다. 물론 영어는 읽지 못해도 설명에 적힌 '54리터'라는 숫자는 읽을 수 있었다. 그 숫자는 지금 얻을 수 있는 우유의 몇 배나 되는 수치였다.

요코우치 씨는 그 페이지를 중심으로 영어사전을 뒤져가며 필요한 정보를 얻기 위해 노력했다. 제대로 이해했는지 불안했지만 어쨌든 원서에서 얻은 지식을 그대로 적용했다. 그러자 우유량이 점점 늘기 시작했다. 25리터에서 30리터로, 그리고 36리터로. 그 소는 '고등등록'이라는 최고의 영예를 안았다.

그는 원서 덕분에 낙농업에서도 크게 성공했고 경영은 안정되었다. 그 후 이제는 '공업화 시대'라는 생각으로 농업과 낙농업에서 번 돈을 바탕으로 악기 제조에 착수한 것이다.

당시 요코우치 씨에게는 영어에 대한 지식이 전혀 없었다. 그런데도 그는 원서를 구입했다. 당연히 전혀 읽을 수 없었다. 그러나 그 내용을 아주 조금 이해했다. 그 '아주 조금의 이해'가 커다란 부(富)를 낳은 것이다. 이 이야기에는 '중학생 수준의 영어 실력'으로 원서를 읽기 위한 중요한 단서가 담겨 있다.

08

영어를 읽지 말고
사진, 일러스트, 도표만 봐라

다시《이윤 창출을 위한 여러 가지 패턴》이야기로 돌아가겠다. 나는 점심을 먹으러 가기 전 노트에 몇 가지 질문을 적었다. 이제부터 그 질문의 답을 찾는 작업에 들어가겠다.

“답을 찾아? 영어를 모르는데 무슨 수로 답을 찾지?”

요코우치 씨와 똑같은 방법을 쓰면 된다.

‘그림’을 보는 것이다. 그림은 전 세계 공통 언어다.

그림을 통해 이 책의 내용을 대담하게 상상해보자.

비즈니스 서적의 저자는 어떤 경우에 사진이나 일러스트를 삽입할까? 자신의 콘셉트가 말로만 설명하면 너무 복잡해서 충분히 전해질 수 없는 경우다. 즉 자신이 전하려는 내용을 더 쉽게 이해할 수 있도록 시각 메시지를 이용하는 것이다.

게다가 책에 문장밖에 없으면 독자가 읽기에 지루하고 피곤해지기에 각 페이지의 콘셉트를 요약한 일러스트나 도표를 삽입하기도 한다. 그렇기에 책에 따라서는 문장을 읽지 않고 일러스트만 봐도 어느 정도 내용을 추측할 수 있다.

예를 들어 《이윤 창출을 위한 여러 가지 패턴》은 30가지 패턴 모두 한 패턴을 해설하기 전에 일러스트가 삽입되어 있다. 포인트는 일러스트와 도표 아래 작은 글씨로 적힌 캡션(설명문)이다. 캡션에는 저자의 콘셉트가 간략히 정리된 경우가 많다. 일러스트와 캡션만으로 두꺼운 책의 내용을 상상할 수 있다. 정말 편리하지 않은가!

《이윤 창출을 위한 여러 가지 패턴》만이 예외적으로 도표나 일러스트가 많은 것은 아니다. **앞서 말했듯이 네이티브 스피커도 책을 읽기란 쉽지 않은 일이다. 잘 만들어진 비즈니스 서적일수록 읽기 쉽게 되어 있다. 비즈니스 서적은 영어 실력이 부족해도 '읽는 법'만 터득하면 필요한 정보를 흡수할 수 있다.**

그렇다면 일러스트나 도표가 없는 책은 어떻게 하면 좋을까? 이런 경우에는 '제목', '소제목, '네모 박스에 들어 있는 문장', '요점 정리', '굵은 글씨', '이탤릭체 글씨' 등을 읽으면 된다. 영어 비즈니스 서적은 중요한 부분의 문자를 강조해서 디자인하는 경우가 많다. 일러스트나 도표가 없다면 그 부분을 중심으로 아는 단어를 찾도록 하자.

단, 비즈니스 서적 중에도 소설처럼 미사여구(美辭麗句)를 빈번하게 사용하거나 논리 구성을 파악할 수 없는 책이 있다. 이런 책은 애초에 이해하기 어려우니 그냥 포기하는 편이 좋다. 왜 이런 영화가 있지 않은가? 첫 장면부터 무슨 얘기인지 하나도 모르겠고, 좀 더 보면 알 수 있을까 싶어서 끝까지 봤지만 결국 뭐가 뭔지 도통 알 수 없는 난해한 영화 말이다.

인생에는 모르는 것도 있는 법이다. 깨끗하게 단념하자. 물론 열심히 노력하면 저자가 하고 싶은 말을 이해할 수도 있겠지만, 난해한 책을 해독하는 것보다는 알기 쉬운 책을 이해하는 것이 훨씬 큰 이득이다. 훌륭한 비즈니스 서적은 얼마든지 있다. 모든 책에 시간을 쏟아부을 필요는 없다.

아무리 형편없는 책이라도 한두 개쯤은 도움 되는 문장을 발견할 수 있다. 그것에 만족하고 다른 책을 읽도록 하자. 신경이 쓰여서 견딜 수 없다면, 영어 실력이 향상된 후에 다시 그 책에 도전하면 된다.

09

최대한 문장을 읽지 않고 내용을 이해하는 세 군데 포인트

그럼 사진, 일러스트, 도표를 통해 내용을 상상하고, 다음으로 주목해야 할 부분은 어디일까? 되도록 영어를 읽지 않고 정보를 얻을 수 있는 부분은 없을까? 그런 부분은 아직 얼마든지 남아 있다. 다음 세 부분이 바로 그런 곳이다. 우선순위에 따라 설명하겠다.

(1) 표지, 뒤표지(커버가 있다면 날개 부분)

책의 앞표지와 뒷표지는 '프리뷰 단계'에서 이미 살펴봤지만, 이 단계에서 다시 어떤 정보가 담겨 있는지 찾아보자. 커버가 있다면 날개 부분에도 주목하라. 대부분 비즈니스 서적은 이

곳에 모든 정보가 담겨 있다.

이 세 부분(앞표지, 뒷표지, 커버)에는 출판사가 판매 부수를 올리기 위해 본문에서 가장 인상적인 내용을 뽑아 수록하는 경우가 많다. 또 책을 읽고 얻을 수 있는 이점을 간략하게 정리하기도 한다. 한마디로 '이 책을 읽으면 당신은 이런 일을 할 수 있다'라고 책에서 얻을 수 있는 정보를 요약한 것이다.

물론 책을 팔기 위한 문구이긴 하지만, 이 문구를 단서 삼아 본문에서 관련 정보를 찾아가면 많은 도움이 된다.

(2) 요약문(Summary)

일본어 비즈니스 서적에서는 거의 볼 수 없지만, 영어 비즈니스 서적에는 책 마지막에 요약문이 실려 있는 경우가 많다. 요약문에는 '책의 요점'이 항목별로 정리되어 있다. 게다가 겨우 몇 페이지밖에 되지 않는다.

어쩌면 이렇게 친절할까! 감격한 나머지 요약문을 마구 읽고 싶어진다. 그러나 몇 페이지밖에 안 되니까 쉽게 읽을 수 있을 거라는 생각에 읽기 시작하면, 무슨 말인지 하나도 알 수가 없다. 사실 요약문은 간략하게 설명하기 위해 어려운 단어를 나열하는 경우가 많다.

그러니까 요약문은 읽지 말고, 그냥 보기만 하면 된다. 여러 번 반복되는 단어는 중요한 단어(키워드)다. 필요하면 그 단어만 사전에서 찾아보도록 하자. 그렇게 중요한 단어만 찾아가면 책 전체에 어떤 아이디어가 제시되고 있는지 어렴풋이 윤곽이 잡히기 시작할 것이다.

(3) 각 장의 중요 포인트

마지막으로 각 장을 훑어본다. 이때 뒤부터 읽는 게 중요하다. 각 장의 끝에는 그 장의 요약문이 항목별로 정리된 경우가 많아서다. 중요한 포인트(핵심적인 내용이나 강조점)는 눈에 띄도록 박스로 구성하기도 한다.

예를 들어 《이윤 창출을 위한 여러 가지 패턴》은 각 장의 끝에 〈이윤을 창출해 내는 법〉이란 박스가 있다. 이 박스의 문장을 두세 줄 읽으면, 그 장의 테크닉을 활용하여 돈 버는 방법을 알 수 있다.

또 뒤에서 앞으로 페이지를 넘기다 보면 다시 '항목별 정리'가 나오기도 한다. 그럼 아는 단어를 찾아본다. 아는 단어가 하나도 없다면, 가장 빈번하게 나오는 단어를 영어사전을 참고해 뜻을 조사한다. '항목별 정리'는 책의 의미를 이해하는 데에 매우 효율적인 포인트다. 문자가 적기 때문이다.

내가 미국의 대기업에 근무하고 있을 때는 프레젠테이션에

'항목별 정리는 한 항목당 일곱 단어 이상을 쓰면 안 된다'라는 규칙이 있었을 정도다. 수고했다. 이제 훑어볼 곳은 없다.

자, 여기까지 문장을 읽을 필요가 있었나? 대부분 사진이나 일러스트를 본 것뿐이다. 또 요약문이나 항목별 정리에서 익숙한 단어를 찾은 것뿐이다.

따라서 영어 실력은 거의 필요 없다. 그럼 여기까지 읽으면 대체 책의 내용을 얼마나 이해할 수 있을까? 처음 이런 방법으로 영어 비즈니스 서적을 읽고 나면 이렇게 주장하는 사람이 많다.

"하나도 모르겠어요."

"충분히 이해했다 싶은 레벨을 100퍼센트라고 치면 몇 퍼센트 정도 이해했습니까?"

"거의 0퍼센트인 것 같은데요."

"거의 0퍼센트입니까? 아니면 0퍼센트입니까?'

"완전히 0퍼센트는 아닙니다. 전문용어는 알았으니까요."

"그럼 몇 퍼센트 정도입니까?"

"한 5퍼센트 정도요?"

그렇다. 0퍼센트는 아니다. 중요한 건 바로 그거다. 이해도를 0퍼센트에서 5퍼센트로 높이기는 어렵지만, 5퍼센트를 10퍼센트나 20퍼센트로 높이는 것은 그리 어려운 일이 아니다. 게다가 즐거운 작업이기도 하다.

이해도를 높이기 위해서는 한 가지 질문에 대답하면 된다. 다음 '마법의 질문'에 답하라.

> Q. 이 책에 어떤 내용이 적혀 있는 것 같은가? 대담하게 상상하여 자신의 말로 표현해보라.

이 질문에 의해 지금까지 찾아낸 콘셉트와 키워드를 결합할 수 있다. 실제로 누군가를 상대로 이야기해보자. 놀랍게도 제각각이었던 개념들이 의외로 일관성 있게 연관되어 의미를 지니게 될 것이다.

"상상이 틀리면 어쩌지? 이건 내 마음대로 해석한 것일 뿐 맞는지 틀리는지 모르잖아?"

이렇게 불안해하는 사람도 많을 것이다. 이런 경우에는 어떻게 하면 좋을까? 상상이 틀린 부분은 왠지 위화감이 느껴질 것이다. '이건 뭔가 이상하다. 저자의 주장과 다르지 않은가?' 하는 직감이 느껴질 것이다. 머리로 생각하지 말고 가슴으로 느껴라. 아무래도 뭔가가 이상하고, 그 개념이 책을 이해하는 데 매우 중요하다고 생각된다면, 자신의 해석이 맞는지 조사하면 된다.

그 개념에 대해 적혀 있는 페이지를 펼쳐서 다시 주변의 키워드를 찾아보자. 자신의 추리를 어떻게 수정하면 좋을지 살펴보는 것이다. 또 맞는지 틀리는지 불안하긴 해도 특별히 큰 위화감이 없으면, '그냥 납득해 버리는 방법'도 있다. 오히려 마음대로 해석해서 읽는 게 당신에게 도움이 될지도 모른다.

원래 책의 내용을 해석하는 방법은 사람에 따라 다르다. 그건 일본어책도 마찬가지다. 가끔 내게 '간다 씨 말대로 해봤더니 대성공이었습니다'라고 말하는 독자가 있다. 내가 뭘 어떻게 했냐고 물으면 '자기 마음대로' 해석해서 책에 적혀 있지도 않은 방법을 시도했다가 성공하는 일도 있다. 하지만 그걸로 충분하다.

독서의 목적은 책에 담겨 있는 정보를 올바르게 이해하고 활용하는 것이 아니다.

오히려 책에 담겨 있는 정보에 자극을 받아 그 정보를 기존의 지식과 결합하고, 자신의 사고체계 속에서 활용하는 것이다.

그래서 좋은 결과를 거둘 수 있다면, 남이 뭐라고 하든 훌륭한 독서법이다. 맞는지 틀리는지 판단하고 확인하는 독서법은 학교에서 시험 볼 때는 좋은 점수를 받을 수 있다. 하지만 실제 비즈니스에서는 별로 중요하지 않다.

10

일본어책으로 대담한 상상을 해보라

영어 비즈니스 서적을 읽을 때는 '대담한 상상'이 중요하다. 이렇게 말해도 이해할 수 없는 사람도 있을 것이다. 시험 삼아 일본어책으로 대담한 상상을 해보자.

여기 책 한 권이 있다(250페이지 정도). '키워드'만 찾은 상태에서 이 책의 내용을 얼마나 정확하게 상상할 수 있을까? 대충 눈에 띄는 단어를 30개 정도 적어 보면 다음과 같다.

키워드

리틀 히틀러, 카메라, 서양인의 심층 심리, 핸섬, 서양인의 함정, 자기중심주의, 거물 유대인 바이어, 도산, 남의 말을 잘 들어주기, 행복의 방정식, 인간관계의 열 가지 룰, 굿 파이터, 퍼블릭 스피킹, 5W+1H, 사기꾼의 상투수단, 금전 감각이 마비된 계층, 열성, 영어 단어보다는 남의 이름을 외워라, 자신의 껍질, 무아지경, T-SIDES 방정식, 맞장구 패턴, 사무라이 교육, 서양인은 남을 의심한다, 분쟁 조정자, 키시 노부스케 전 총리, 서양인에게 논리적으로 이기는 방법 모음, 결심하고 일어서라, 통하는 영어, 인간의 공통적인 나쁜 버릇

이 키워드를 보고 대담하게 상상하여 자신의 말로 표현하면 어떻게 될까? 시험 삼아 우리 회사 여직원들에게 물어보았다.

서양인과 경쟁하는 방법에 대해 쓴 책 아닐까?

저자는 서양인에 대해 좋지 않은 감정이 있는 것 같다.

서양인은 자기중심적이라고 주장하는 것 같다.

'서양인을 논리적으로 이기는 방법'과 '퍼블릭 스피킹'이라는 단어를 보니 영어를 잘하는 방법에 대해 쓴 책 같다.

'퍼블릭 스피킹'을 잘하려면 열성을 갖고 무아지경으로 공부해야 한다고 주장하는 것 같다.

'T-SIDES' 방정식이란 무엇일까? 흥미가 있다. 혹시 '맞장

구 패턴'이란 영어로 맞장구치는 방법을 말하는 것일까? 알아 두면 편리할 것 같다.*

이 정도다. 물론 자신 있게 대답하지는 못했지만, 의외로 책의 내용을 어렴풋이 파악하고 있었다.

그럼 이 책은 실제로 어떤 책일까?

제목: 거만한 태도로 싸워

부제: 전 세계에서 통용되는 인간관계의 열 가지 룰

저자: 콘도 토우타(87세의 현역 국제 분쟁 조정자, 맥아더 총사령부 국제 무역부 근무 후에 무역회사를 창업했. 키시 노부스케 총리대신 해외담당 측근)

이처럼 '제목'과 '저자의 프로필'을 알면 아까의 키워드를 통해 내용을 추리하기가 좀 더 수월하다. 또 책 커버에 적혀 있는 문구도 내용을 이해하는 데 도움을 준다.

이 책을 읽고 당신이 얻을 수 있는 것

서양인의 심층 심리(본성)를 알 수 있다. 세계 어디에서나 인기를 얻는다. 당신의 인품이 변한다. 용감한 사람이 될 수 있다. 미남 또는 미녀가 된다. 서양인의 함정에 빠지지 않는다(비즈니스에 성공한다). 해외 출장이나 여행을 갔을 때 창피를 당하지 않는다. 기업가의 경우 사원들에게 타격을 주지 않는다… 등등.

여기까지 읽고 나면 여직원들의 추리가 완전히 틀리지는 않았음을 알게 될 것이다. 중요한 것은 이걸로 독서가 끝난 게 아니라는 사실이다. 이렇게 내용의 윤곽이 보이기 시작하면 차츰 책의 내용에 흥미를 갖게 된다.

'T-SIDES 방정식은 무엇일까?'

'맞장구 패턴은 무엇일까?'

구체적인 콘셉트에 흥미가 느껴지면, 그 부분만 다시 펼쳐보도록 해라. 그럼 단어를 조금 살펴보기만 해도 T-SIDES 방정식이란 국제 분쟁 조정자가 문제를 해결할 때 뛰어난 효과를 발휘하는 방법임을 알 수 있다.

또 이 책에는 상대방을 기분 좋게 만들고 대화를 재미있게 이끌어나가는 영어 맞장구 패턴이 표로 정리되어 있다. 즉 문장을 읽지 않고 키워드를 찾아내기만 해도 이렇게 중요한 정보를 얻을 수 있다. 책의 내용을 이해할 수 있게 도와주는 감정은 '불만'이 아닌 '흥미'다.

물론 95퍼센트는 모른다. 하지만 바꿔 말하자면 5퍼센트는 안다는 이야기가 아닌가? 95퍼센트를 모른다는 사실에 자신감을 잃고 불만에 빠지지 말라. 알게 된 5퍼센트에 초점을 맞추고 흥미를 느껴라.

지금도 얼마든지 후지겐의 요코우치 씨 같은 방법으로 부자가 될 수 있다. 어린아이 같은 흥미가 이해를 돕는 엔진이 된다. 작은 힌트를 계기로 5퍼센트의 이해가 정신을 차리고 보면 20퍼센트, 30퍼센트가 되어 있을 것이다.

[STEP 5] 고속리딩 단계

: 중요한 문장만을 읽어본다

지금까지는 거의 '단어'만 찾으면 그만이다. 이제부터는 '문장을 읽는 단계'에 들어간다. 포토리딩에서 말하는 '고속리딩'은 자신에게 맞는 속도로 처음부터 끝까지 책을 훑어보는 작업이다.

그러나 영어 실력에 자신이 없는 사람은 영어책 한 권을 처음부터 끝까지 읽는 작업이 굉장히 어렵다. 따라서 읽어야 할 영어의 양을 최소한으로 줄이기 위해 본래의 고속리딩과는 조금 다르게 '중요한 문장'을 찾아서 읽는 데 주력하라.

이때 중요한 점은 문장을 이해하려고 너무 애쓰지 않는 것이다.

문법적인 지식을 총동원해서 내용을 이해하려고 애써도 모르는 문장이 나오면 막히기 마련이다. 그러면 스트레스가 쌓여서 한 걸음도 앞으로 나아갈 수 없다. 모르는 부분은 그냥 남겨두고 다음 문장으로 넘어가라. 갑자기 '모르는 문장①', '모르는 문장②', '모르는 문장③'이 연결되어 전체적인 의미를 깨우치는 일도 있기 때문이다.

이것은 '직소 퍼즐'과 마찬가지다. 처음부터 모든 조각의 위치를 알 수 없으며, 위치를 '아는 조각'부터 맞춰야 한다. 그러면 어느 순간 갑자기 '전체적인 그림'이 보이기 시작한다. 전체적인 그림이 보이기 시작하면 나머지 조각은 빠르고 간단하게 맞출 수 있다.

직소 퍼즐은 가장자리 조각부터 찾아서 그림을 맞춰나간다. 그럼 영어 비즈니스 서적의 경우 가장자리 조각, 즉 전체적인 그림을 보기 쉽게 해주는 문장은 어디에 있을까? 그 조각을 찾는 세 가지 방법을 중요한 순서대로 이야기하겠다.

(1) 서론과 결론을 훑어본다

저자의 관점에서 '서론'은 가장 하고 싶은 말을, 가장 알기 쉽게 써놓은 곳이다. 서론이 지루하면 독자들이 책을 끝까지 읽지 않는다. 따라서 독자의 관점에서 보면 서론은 가장 효율적으로 책 전체를 이해할 수 있는 곳이다.

서론에는 보통 책을 읽는 요령이 적혀 있다. 예를 들면 '제1장~제3장은 ○○에 대해', '제4장~제5장은 ○○에 대해', '제6장은 ○○에 대해 적혀 있다'. 이런 식으로 저자가 직접 독자를 위해 책을 읽는 방법을 알려준다. **한마디로 저자가 독자에게 건네주는 '보물찾기 지도' 인 셈이다.**

서론을 읽을 때는 먼저 '굵은 글씨, 이탤릭체, 항목별 정리' 등 강조하고 있는 문장부터 읽는다. 그다음 제1단락의 첫 번째 문장을 읽는다. 또 그다음 제2단락의 첫 번째 문장을 읽는다. 그럼 다음에는 어디를 읽어야 할까? 제3단락의 첫 번째 문장이다. 즉 '각 단락의 첫 문장'을 읽는 것이다.

영어의 특성상 단락의 처음에는 가장 중요한 문장이 적혀 있을 경우가 많다. **서론을 읽은 후에는 책의 마지막 부분에 '결론'이 있는지 확인한다. 결론에도 서론과 마찬가지로 저자가 가장 전하고 싶은 말이 적혀 있을 것이다.** 결론을 읽을 때도 역시 '항목별 정리. 굵은 글씨, 이탤릭체, 각 단락의 첫 문장'만을 훑어보라.

(2) 보물이 있을 것 같은 장부터 살펴본다

다음에는 자신의 목적에 필요한 장부터 우선순위에 따라 살

펴보도록 하자. 우선순위를 모른다면 '마지막 장'부터 살펴본다.

왜 마지막 장부터 읽어야 할까? 저자에게 마지막 장이란 마지막으로 쓰는 페이지다. 나 역시 책을 쓴 저자로서 고백하면 책을 쓰는 동안 그 내용이 점점 명확히 파악되거나 복잡한 콘셉트를 알기 쉽게 설명하는 요령을 터득하기도 한다.

즉 저자는 마지막으로 지금까지 설명한 콘셉트를 통합하여 내용의 전체적인 모습을 보여주는 경우가 많다. 한마디로 마지막 장은 완성도가 높다. 물론 당신의 질문에 대한 답이 있는 듯한 장이 있으면 먼저 그 장을 읽어라. 역시 서론과 마찬가지로 각 단락의 첫 문장을 읽으면 된다.

중요한 문장을 찾아내는 비결은 '접속사'를 살펴보는 것이다. 왠지 입시 학원 강의처럼 들리겠지만 조금 참고 읽어주기를 바란다.

중요한 문장은 'But(그러나), However(그렇지만)' 같은 부정 접속사로 시작한다. 또 'In summary(한마디로), To summarize(요약하자면), In short(간단히 말하자면), In conclusion(결론을 내리자면)'이란 말로 시작하는 문장은 저자의 콘셉트가 응축된 중요한 문장이다.

이 중요한 문장을 찾는 작업에서는 포토리딩이 위력을 발휘

한다. 이미 포토리딩으로 한 번 훑어봤기 때문에 '중요하다 싶은 문장'부터 눈에 들어올 것이다.

(3) 아직 훑어보지 않은 장을 찾는다

지금까지 잘 이해되지 않았던 콘셉트를 다른 각도에서 살펴보면 갑자기 의미를 깨닫게 될 때가 있다. 그러니 마지막으로 모든 장을 훑어보라. 마찬가지로 각 단락의 첫 문장을 읽고 나서 항목별 정리, 굵은 글씨, 이탤릭체 등 눈에 띄는 문장을 찾는다.

참고로 이 작업을 할 때 문장을 이해할 수 없다고 자신을 책망할 필요는 없다. 그보다 더욱 중요한 것이 있다. 바로 자신에게 중요한 문장을 찾는 것이다.

'읽는' 작업이 아닌 '찾는' 작업이다.

모래 속에서 사금(砂金)을 찾을 때 모든 모래를 한 알 한 알 확인할 필요는 없다. 사금만 살펴보면 그만이다. 자신에게 중요한 문장을 하나만 발견하자는 생각으로 작업을 해나가라. 이상 책 한 권을 전부 훑어보았다. 축하한다! 물론 읽지 않은 부분도 잔뜩 있으므로 더 많은 정보를 얻고 싶어질 것이다. 그만큼 가치 있고 감명을 받은 책이라면 나중에 자세히 읽으면 된다.

단 영어 비즈니스 서적은 사전을 찾으며 정독하기 시작하면 아무리 시간이 많아도 모자란다. 이건 본인이 판단해야 할 문제지만 책에서 어느 정도 정보를 얻고 나면 나머지 문장은 큰맘먹고 버리는 것도 중요하다. 또 책 한 권을 읽고 어떻게든 이해하려고 악전고투하는 것보다는 '언젠가 반드시 의미를 알게 될 거야'라고 믿고 당신의 뇌에 맡겨두기를 바란다.

그리고 온종일 다른 생각을 하다가 다음 날 다시 노트를 읽어보자. 그럼 지금까지 깨닫지 못했던 것들이 유기적인 연관성을 지니고 갑자기 이해가 될 수 있다. 그 후 다시 책을 펼쳐보면, 아주 오래전에 읽은 듯한 익숙함이 느껴질 것이다. 며칠 전까지만 해도 도저히 읽을 수 없을 것 같았는데 말이다. 놀라운 발전이다.

11

억눌려 있는 아이의 마음을 해방하라

'포토리딩'과 '영어 비즈니스 서적 공략법'은 학교에서 배웠던 방법과는 매우 다르다. 학교에서 배운 방법은 '첫 페이지부터 한 문장 한 구절씩 이해하며 앞으로 나아가는 방법'이다. 그에 비해 포토리딩은 책 한 권을 몇 번에 걸쳐 읽는다.

디지털카메라로 찍은 사진을 인쇄할 때를 떠올려보라. 프린터는 먼저 한 가지 색으로 사진을 인쇄하고, 그 위에 다른 색을 얹어서 차츰 아름다운 사진을 완성해나간다. 포토리딩도 마찬가지다. 책 한 권을 몇 번씩 반복하여 읽음으로써 이해도를 높여가는 것이다.

"이렇게 읽어서 정말 이해할 수 있나요?"

물론 영어 실력에 따라 다르지만 30퍼센트는 이해할 수 있다.

"30퍼센트는 소용이 없어요. 전부 이해할 수 있어야 하지 않나요?"

그럼 당신은 일본어책을 읽으면 어느 정도 이해할 수 있는가? 일반적으로 일본어책도 70퍼센트만 이해해도 충분하다. '100퍼센트 이해한다'라는 것은 책의 어느 부분을 물어도 대답할 수 있는 수준이다. 솔직히 그 책의 저자라도 어려운 일이다.

나도 예전에 내가 쓴 책에 대해 질문을 받으면 '내가 그런 말을 썼었나?' 싶을 때가 많다. 일본어로 번역된 비즈니스 서적을 읽으면 어느 정도 이해할 수 있나? 번역서도 꽤 이해하기 어렵다. 반 정도만 이해할 수 있으면 충분하지 않을까?

그럼 영어 원서를 30퍼센트 정도 이해할 수 있는 것은 만족할 만한 수준 아닐까? 물론 30퍼센트란 더 이상 노력하지 않을 경우일 뿐, 더 많은 시간을 투자해서 읽고 싶으면 40~50퍼센트 정도 이해할 수 있도록 사전을 찾아가며 꼼꼼히 읽으면 된다.

이건 중요한 문제다. 영어 비즈니스 서적에 얼마나 많은 시간을 투자할 것인지는 당신이 선택할 문제다.

마지막으로 강조하고 싶은 것은 영어 원서를 30퍼센트나 이해하는 사람은 거의 없다는 사실이다.

아예 '원서'라는 말만 들어도 질색을 하는 사람이 많다. 정작 본인만 깨닫지 못했을 뿐, 당신은 이미 귀중한 재능을 가진 사람이다. 그리고 30퍼센트에서 출발하면 차츰 익숙해지면서 이해력은 40퍼센트, 50퍼센트로 향상될 것이다. 1년 후에는 일본어책을 읽듯 아무렇지도 않게 영어 비즈니스 서적을 읽게 될지도 모른다.

지금까지 설명한 과정을 듣고 나서 '단순히 중요한 부분만 골라서 읽으면 되는 거 아니야? 포토리딩은 필요 없지 않나?' 라고 생각하는 사람도 있을 것이다. 물론 스스로 체험하기 전에는 그렇게 생각할 수도 있다.

하지만 내게 'STEP 3'의 포토리딩은 무엇보다도 중요한 작업이다. 포토리딩을 하는 이유는 무엇일까? 먼저 포토리딩은 거리감이 느껴지는 난해한 책에 친숙함을 느끼게 하는 효과가 있다. **자기 전에 포토리딩을 하고, 다음 날 그 원서를 읽으면 도저히 읽을 수 없을 것 같았던 느낌이 약해져 있을 것이다. 영어책을 읽을 때는 특히 중요한 효과다.**

또한 포토리딩한 책은 단어를 조사하는 양이 적어진다는 사람도 있다. 포토리딩을 하지 않으면 문장을 읽을 때 자주 막히지만, 포토리딩을 한 후에는 친숙해져서 상상력을 풍부하게 발동하기 때문이다.

나는 포토리딩을 해두면 책의 내용을 이해할 수는 없어도 며칠이 지나면 그 책과 관련된 여러 가지 발상이 떠오를 때가 있다. 그래서 다시 책을 펼치고 내용을 확인해보면, 내 발상의 기초가 된 힌트가 그 책에 담겨 있는 경우가 많다. 게다가 남에게 책의 내용을 설명해줄 때 포토리딩은 눈부신 효과를 발휘한다.

막상 설명을 시작해보면 자신이 생각했던 것 이상으로 책의 내용을 이해하고 있다는 사실에 놀라게 될 것이다. '아, 내가 이런 것까지 이해하고 있었구나' 하는 느낌이랄까.

또 하나 재미있는 실험은 서론에서 말했듯이 내용을 모르는 영어책에 커버를 씌워서 친구에게 빌리는 방법이다. 거꾸로 책을 들고 포토리딩을 해본 다음, 눈을 감았을 때 어떤 이미지가 떠오르는지 시험해보자. 이왕이면 스토리의 기복이 있고 정서가 풍부한 소설을 선택하는 것이 좋다.

이 실험을 해보면 영어를 거의 공부하지 않은 사람도 이미지가 뚜렷하게 떠오르는 경우가 있다. 누구나 꿈을 꿀 수 있듯이, 누구나 책에서 이미지를 감지하는 것이다. 당신도 가벼운 마음으로 실험해보자.

굳이 노력하지 않아도 당신은 이미 포토리딩을 할 수 있는 능력을 갖고 있다. 사실 아이들은 이미 포토리딩을 하고 있다.

글자를 읽을 수 없는 어린아이는 그림책을 읽을 때 거꾸로 놓고 본다. 그래도 책에 담겨 있는 감정을 감지할 수 있다. 아이에게는 그것이 당연한 일이다.

당신 안에 잠들어 있는 비판적인 어른이 아닌 '자유로운 아이'를 눈뜨게 하라. 당신의 능력은 이미 개화할 때를 기다리고 있다.

Chapter 5
국제적인 비즈니스에서 활약하는 워프의 입구

돈과 영어의
비상식적인
관계

01

레스토랑에서 생긴 일

한 고급스러운 호텔 레스토랑에서 정장을 잘 차려입은 남성이 아름다운 여성과 저녁 식사를 즐기고 있다. 등을 곧게 편 당당한 여성의 모습에 누구나 힐끔힐끔 시선을 던진다. 호박색 샴페인을 기울이며 나누는 남녀의 대화가 들려온다.

남자 : 다음 주부터 해외 출장이라 이번 주는 바빠.

여자: 어디 가시는데요?

남자 : 뉴욕에서 열리는 회의에 참석해. 돌아오는 길엔 베벌리힐스 지점에 들르고….

여자 : 미국이라… 좋겠다. 사업이 잘돼가나 봐요?

남자 : 1년 전까지는 생각도 못 했는데 외국에 나가면서 계

속 일이 늘어나기 시작했어.

여자 : 자유롭게 해외로 출장을 다니는 사람이 얼마나 되겠어요. 나도 가고 싶다.

남자 : 참, 당신 선물은 뭐가 좋을까?

도저히 용서 못 해… 뉴욕 출장이라고? 베벌리힐스 지점이라고? 선물은 뭐가 좋겠냐고? 이런 녀석이 있어서 일본이 발전을 못 하는 거야. 이제부터는 일본의 시대야. 당신도 화가 나는가? 화가 나는 건 나도 마찬가지다. 하지만 화내서는 안 된다. 왜냐하면, 이 남자는 1년 후 당신의 모습이기 때문이다.

국제파 비즈니스맨, 또는 국제파 비즈니스우먼이 되기까지 그리 오랜 시간은 필요하지 않다. 게다가 국제무대에 나간 순간부터 차례차례 해외 비즈니스 기회가 굴러들어 온다. 어째서일까? 전에도 말했듯이 세계에 진출하는 사람이 무척 적기 때문이다.

물론 지금도 대기업 사이에는 해외 비즈니스가 성립되고 있다. 대기업에는 영어를 할 줄 아는 사람이 많기 때문이다. 그러나 중소기업 간에는 거의 아무런 비즈니스도 성립되고 있지 않은 상태다. 그 불모지에 영어와 일본어를 동시에 구사하는 능력과 비즈니스 감각을 지닌 사람이 출현하기를 시대가 간절히 원하고 있다. 따라서 한번 계기를 잡으면 비즈니스의 기회가 줄서기 마련이다.

지금까지 우리는 이 책을 통해 꿈을 정확하게 응시하고, 영어가 자신의 목표를 실현하는 데 필요하다고 판단했다. 또 정보의 쇄국 상태에서 원서로 많은 정보를 모으는 방법을 익혔다. 지금까지 배운 것은 앞으로 당신이 국제 비즈니스에서 활약하여 무대를 세계로 넓히기 위한 준비였다.

일반적으로는 국제무대에서 활약하기 위해 준비하려면 엄청난 시간이 필요하다. 요즘 같은 정보의 홍수 속에서 그렇게 오랫동안 준비하다가는 격류(激流, 사회적인 변화나 발달)에 먹혀버릴 것이다. 그러나 목적을 비즈니스로 좁히면, 영어를 배우는 데 10년이나 허비할 필요는 없다.

당신이 이미 지닌 중학교 수준의 지식을 최대한 활용할 것, 그리고 어떤 공부법이나 어떤 교재도 자신에게 도움이 되도록 활용할 수 있다는 것을 이제 알았을 것이다.

시간은 항상 똑같은 속도로 흐르는 것이 아니다.

자신에게 '영어를 잘해도 좋다'고 허락하고, 세계 진출을 결심한 후에는 눈 깜짝할 사이에 시간이 흐른다. 뛰어내릴 각오를 하는 데 시간이 걸리는 것이다. 한번 이륙한 비행기가 계속해서

비행하는 데에는 그렇게 많은 에너지가 소모되지 않는다.

지금 당신은 충분한 준비가 되어 있다. 따라서 이륙하는 데 그렇게 많이 노력할 필요는 없다. 내가 강조하고 싶은 것은 지금까지의 준비 과정이 가장 힘든 작업이었으며, 당신은 그 힘든 작업을 마치고 이 지점에 서 있다는 것이다.

여기까지 온 이상 당신에게 국제무대의 스포트라이트가 비칠 때까지 조금만 더 노력하면 된다. 이미 활주하기 시작한 기체를 이륙시키려면 적절한 타이밍에 조종간을 잡아당기기만 하면 된다.

그럼 '적절한 타이밍'은 대체 언제일까? 바로 지금이다. 그 증거로 당신은 이 책을 읽고 있지 않은가. 그 증거로 지금 이 5장을 읽고 있지 않은가. 지금 마음이 뜨거워져 있지 않은가. 만약 당신의 가슴이 설레고 있다면, 그것은 미래의 유혹 때문일 수 있다.

물론 이 책을 읽고 단순히 '해외 비즈니스, 좋겠다'라고 생각하는 사람도 있을 것이다. 괜찮다. 여행을 떠난다는 건 원래 그런 것이다. '좋겠다'라는 마음만 있으면 충분하다. 그러나 돌이킬 수 없게 되기 전에 빨리 결심해야 한다. 인간은 서로 의지하며 살아간다. 이 책을 읽고 있는 당신의 친구가 당신의 훌륭한 점을 세계에 알리는 데에 힘을 빌려줄 것이다.

02

모험의 시작, 여정 안내

모든 준비는 끝났다. 이제부터 모험을 떠나려는 분들에게 여정을 알려주겠다. 이번 모험은 평범한 모험이 아니다. 우리에게 남아 있는 시간은 별로 많지 않다. 따라서 '최단 거리'로 비행하겠다. 비행은 대체로 순조롭겠으나 기류가 나쁜 곳도 있을 수 있다. 그러나 인생에는 룰이 있다. 극복할 수 없는 장애는 찾아오지 않으며, 어떤 태풍도 언젠가 반드시 멎는다.

각 장과 STEP의 상관관계

제1~4장 모험을 떠날 준비	STEP 1: 미래 선취의 이미지화 STEP 2: 영어 정보 대량 입력
제5장 비일상으로의 모험	STEP 3: 영어 세계로 워프 STEP 4: 비즈니스 교섭 성립
제6장 일상으로의 귀환	STEP 5: 새로운 인간관계 구축

앞으로 남은 여정은 크게 '스텝 3, 스텝 4, 스텝 5' 3단계 과정으로 이루어져 있다. 모험을 떠났다가 새로운 세계의 보물을 가지고 돌아오는 것이다.

03

영어 세계로 워프하라
: 모험의 유혹에서 여행을 떠날 때까지

여행은 '비일상적인 공간'으로 이어지는 입구다. 그리고 비일상적인 공간에 가는 건 인간을 급속도로 성장시킨다. 여행을 떠났다가 돌아와 보면 세상이 미묘하게 달라져 있을 것이다.

수많은 비즈니스에 성공하여 31세의 젊은 나이에 회장으로 취임한 스도 코지(Sudo Koji)는 "이동을 하면 새로운 발상이 떠오른다"라고 주장했다. 그는 일본 전역을 날아다닌다. 필요하면 30분간 미팅에 참석하기 위해 규슈에서 삿포로까지 이동하기도 한다.

또 차를 타고 이동할 때 허벅지에 메모지를 고무줄로 묶어놓는 사장도 있다. 운전 중에 떠오른 좋은 생각을 잊어버리지 않기 위해서다. 게다가 여행은 남녀 관계에 짓궂은 장난을 치기도 한다. 여행을 떠난 순간, 지금까지 친구였던 두 사람이 급속도로 가까워져서 로맨틱한 분위기가 생기기도 한다.

인생의 커다란 전환점에는 알게 모르게 공간의 이동이 얽혀 있다. 여행이란 단순히 물리적인 공간의 이동이 아니라 비일상적인 세계로 들어가는 의식이다.

영어를 공부할 때도 비일상적인 공간으로 떠나는 여행은 마법을 일으킨다.

굳이 유학이나 여행을 가지 않아도 노력만 하면 영어는 향상된다. 그러나 새로운 현실을 만들고 싶으면 일주일이라도 좋으니 일상적인 공간에서 빠져나가 보자. 그것은 국제적인 비즈니스 무대에서 활약하는 자신이 되기 위한 의식이다.

그럼 대체 무엇을 하러 가면 좋을까? 그냥 놀러 가면 되는 것일까? 요즘 같은 세상에는 외국으로 훌쩍 여행을 떠나봤자 별로 많은 것을 얻을 수 없다. 유학을 가봐도 캠퍼스에서 돌을 던지면 일본인이 맞을 만큼 많다. 게다가 바쁜 비즈니스맨이 몇 주일이나 외국에 갈 수도 없다.

만약 내게 단기간 내에 영어가 향상되는 방법을 가르쳐달라고 부탁하는 사원이 있다면 나는 과연 그를 어디로 보낼까? 주저 없이 해외에서 개최되는 세미나나 전시회에 참가시킬 것

이다. 그곳이 국제 무대로 이어지는 워프 입구이기 때문이다.

왜 하필 세미나나 전시회일까? 어학연수나 관광여행이 나쁘다는 것은 아니다. 다만 앞으로 교제하고 싶은 사람들이 모여 있는 곳으로 가는 게 훨씬 효과적이라는 얘기다.

비즈니스를 하고 싶다면 같은 뜻을 지닌 사람들을 만나는 게 좋다. 세미나나 전시회에 참석하는 사람들은 애초에 비즈니스를 확장하려고 그곳에 있는 것이다. 따라서 세미나만큼 비즈니스와 직결되는 곳은 없다. 단언한다.

04

절벽에서 뛰어내려 보니 그곳은…

"해외에서 개최되는 세미나에 참석하라고? 영어를 못하는데 어떻게 가란 말이야."

그렇게 생각할 수 있다. 하지만 당신에게 자신이 없어도 때가 되면 기회는 눈앞에 나타난다. 기회란 다음 스테이지로 나아가기 위한 시험처럼 찾아온다. 따라서 그 관문을 통과하면 당신 앞에는 영어의 세계가 펼쳐질 것이다.

예를 들겠다. 디자인 회사를 경영하는 와다 타츠야(Wada Tatsua) 씨가 실제로 겪은 일이다. 와다 씨는 몇 달 동안 열심히 영어를 공부했다. 자신의 비즈니스 영역을 해외로 넓히고 싶어서였다. 그러던 어느 날 와다 씨에게 한 통의 초대장이 날아왔다. 미국에서 판촉 상품 전시회가 열리는데, 원래 참석하기로 한 친구가 못 가게 되는 바람에 그에게 초대장이 전송되어 온 것이다.

'뭐, 전시회를 보러 가는 것뿐이니까.' 그렇게 생각한 와다 씨는 가볍게 초대를 승낙했다. 그것이 엄청난 착각임을 알게 된 것은 그로부터 몇 주일 후였다. 내게 와다 씨의 긴급한 메일이 날아왔다. 메일을 읽어보자, 그의 절박한 어조로 사태가 적혀 있었다. 전시회 안내를 보고 알게 됐는데 주최 측으로부터 점심 초대를 받았다는 것이다.

점심까지는 상관없지만, 문제는 그다음 문장이었다. 점심 후에 열리는 참석자 토론회 참가자 명단을 본 순간 와다 씨는 깜짝 놀랄 수밖에 없었다. 어디선가 많이 본 이름이 적혀 있었기 때문이다. '와다 타츠야' 분명히 자신의 이름이었다.

'왜 내 이름이 참석자 토론회 명단에 적혀 있는 거지?' 뭔가 잘못된 거라는 생각에 눈을 비비고 다시 살펴보았다. 토론의 주제는 '일본의 다이렉트 마케팅 현황'이었다.

"아무래도 내가 토론자로 선출된 것 같군. 하지만 난 영어를 못하는데 무슨 수로 참석자 토론을 하란 말이야."

그래서 내게 허둥지둥 긴급 메일을 보낸 것이다. 나는 자세한 사정을 듣기 위해 와다 씨에게 전화를 걸었다.

“와다 씨, 어떻게 된 겁니까.”

“그게 말이죠. 주최자인 존에게서 연락이 왔는데 제가 토론자가 된 것 같아요. 어쩌면 좋을까요?”

존은 미국에서도 저명한 프로모션 회사의 사장이며, 그 전시회는 전 미국에서 여러 회사가 모이는 큰 이벤트였다. 협찬사가 무려 코카콜라와 할리 데이비드슨이었다.

“미국에 가본 적 있습니까?”

“하와이와 뉴욕은 가본 적 있지만 관광이었습니다.”

수화기 너머로 그의 긴장감이 전해져왔다.

“참석자 토론 시간은요?”

“한 시간입니다.”

남들 앞에서 이야기하는 것은 네이티브 스피커에게도 세상에서 제일 두려운 일 중 하나다. 그런데 와다 씨는 그 두려운 일을 느닷없이 한 시간이나 하게 된 것이다. 그에게 뭐라고 조언하면 좋을까? 나는 생각에 잠겼다. 그냥 부끄러움을 버리라고 말하면 너무 무책임한가. 하지만 참석자 토론은 기록으로 남는 것도 아니다. 눈 딱 감고 아무 말이나 해도 된다.

물론 그걸 들어야 하는 미국인들에게는 미안한 노릇이긴 하다. 그들은 괴로운 60분을 보내게 될 것이다. 하지만 그것도 눈 딱 감을 수밖에. 아니, 아예 토론하는 장면을 카메라에 담아

버리는 게 어떨까. 사진 제목은 '일본의 다이렉트 마케팅을 프레젠테이션하는 와다 씨, 미국인들을 상대로 당당하게 말하고 있다!' 그 자신에게는 평생의 재산이 될 것이다. 귀국하면 와다 씨는 일본을 대표하는 다이렉트 마케터가 될 수 있다.

나는 이렇게 대답했다.

"와다 씨의 심정은 이해합니다. 제가 와다 씨 입장이라도 무서울 겁니다. 하지만 남의 일이니까 말하는 건데 이건 굉장한 기회입니다. 하지 그래요?"

그는 그 한마디를 기다렸다는 듯이 말했다.

"그렇죠? 실은 저도 그렇게 생각했습니다."

"출발은 언제입니까?"

"내일 나리타 공항으로 가야 합니다."

"와하하. 어차피 할 수밖에 없겠군요."

"그, 그렇죠."

"와다 씨, 부딪쳐서 깨지세요. 뼈는 제가 주워드리죠."

억지로 등을 떠밀린 그는 절벽에서 뛰어내리는 심정으로 나리타를 출발했다. 그 후 그는 어떻게 됐을까? 일본으로 돌아온 그는 내게 자신의 모험담을 선물했다(다음 '베벌리힐스 지점의 진상' 장에서 그에게 온 메일을 공개하겠다).

두려워하던 비일상이 일상이 되는 순간이었다. 그는 절벽에서 뛰어내렸다. 뛰어내리자, 그곳은 '세계 무대'였다. 이제는 세계 무대에서 활약하는 게 지극히 당연한 일상으로 변했다. 절벽에서의 초대장은 누구에게나 날아온다. 그리고 그 초대장은 당신이 마음의 준비를 마쳤을 때 날아오는 법이다.

05

베벌리힐스 지점의 진상

와다 씨의 사례에서 알 수 있듯이 세미나와 전시회는 국제 비즈니스와 통하는 가장 빠른 입구다. 내가 그 사실을 깨달은 건 나와 내 친구들이 어떻게 해외 비즈니스를 성사시켰는지 그 경위를 객관적으로 돌아보았을 때였다. 생각해보니 세미나에 참가했다가 너무나도 쉽게 비즈니스의 기회를 잡은 경우가 많았다.

솔직히 고백하면 일이 너무 잘 풀려서 어이가 없을 정도였다. 국제 비즈니스뿐만 아니라 무슨 일이든 계기를 잡는 것이 중요하다. 일단 계기를 잡은 후에는 실적이 실적을 부르게 된다. 계기만 잡으면 성공까지 80퍼센트는 도달한 셈이다.

왜 세미나가 국제 비즈니스에서 활약하기 위한 가장 좋은 발판일까?

일단 사람과의 만남이 준비되어 있기 때문이다.

메릴랜드주 란피 메일 세미나 & 전시회

From : wada

To : <xxx@xxx.com>

sent : Thursday, October17, 2002 7 : 36 PM

subject : 메릴랜드주 란피 메일 세미나 & 전시회에 대하여

존과 전날 밤 이야기를 나눌 때 어쩌다 보니 일본의 프로모션과 미국의 차이에 대한 이야기가 나왔습니다. 그때 무슨 생각이었는지 저는 니토베 이나조의 무사도 얘기를 했습니다.

존은 이 얘기가 굉장히 마음에 들었는지 다음 날 참석자 토론에서 갑자기 절 지명하더니 '타츠야, 어제 그 얘기 정말 훌륭했어. 다른 사람들에게도 들려주지 않겠어?'라고 하더군요.

당연히 저는 깜짝 놀랐습니다. 하지만 뭐든 경험해보는 게 좋다는 생각에 될 대로 되라는 심정으로 그의 제안을 받아들였습니다.

존은 '멀리 일본에서 수고를 마다하지 않고 와준 훌륭한 친구입니다' 하고 저를 소개했습니다.

저는 긴장하며 이렇게 입을 열었습니다.

"어떻게 얘기를 시작해야 할지 모르겠군요. 저는 영어가 서툽니다."

그러자 한 신사가 제 마음을 편안하게 해주었습니다.

"괜찮네. 난 일본어는 '안녕하세요' 밖에 몰라. 하지만 자네는 이렇게 영어로 얘기하고 있지 않은가. 걱정하지 말게."

그래서 전 아무 생각 없이 이야기를 시작했습니다.
"여러분, '무사도'라는 말을 들어보신 적이 있으십니까…."
무사도 정신에서 비롯된 예절과 프로모션 형태를 연관시켜 이야기했습니다.
아마 엉망진창이었을 겁니다.
하지만 제가 이야기를 끝내자 모두가 힘찬 박수를 보내주었습니다.
솔직히 놀라긴 했지만 어떻게든 제가 하고 싶었던 얘기가 전해졌던 모양입니다.
"일본에서 온 사무라이에게 박수를!"
누군가가 그렇게 말했습니다.

일본에서 연설을 해도 이렇게 진심 어린 박수를 받기는 힘들겠지요.
이런 기회를 준 존에게 진심으로 감사합니다.
일본으로 돌아온 후 존에게 '무사도'에 관한 책을 보냈습니다.
존의 비서 데보라도 제게 이런 메일을 보내줬습니다.
"당신은 프런티어 정신을 지닌 사무라이입니다. 열심히 하세요. 응원하겠습니다. 저도 그 책을 읽고 싶어요. 존에게 빌려서 제가 먼저 읽을까봐요."

와다 타츠야

성공은 '누구를 만나는가'에 달려 있다. 능력, 학력, 경험, 아

무것도 상관없다. 당신이 어떤 사람들과 함께 있느냐가 제일 중요하다. 그러니까 성공하고 싶다면, 당신이 존경할 만한 사람들이 모여 있는 곳에 가라. 그것이 가장 쉽고 빠른 길이다.

굳이 친분을 쌓지 않아도 된다. 그 사람들이 마시는 공기를 함께 마시기만 해도 모든 것이 달라진다. 세미나는 그러기 위한 이상적인 환경을 제공한다. 게다가 일본인이 해외 세미나에 참가하면 저쪽에서 사람들이 먼저 다가온다. 미국 대학에는 일본인이 잔뜩 있지만, 세미나와 학회, 전시회에 가는 일본인은 거의 없다.

따라서 일본에 흥미가 있는 사람은 저쪽에서 먼저 말을 걸어온다. 물론 너무 크게 기대하지는 말라. 하지만 나는 허풍을 떠는 것이 아니다.

어느 날 같은 세미나에 참가한 스위스인이 내게 말을 걸어왔다.

"저는 스위스와 베벌리힐스에 사무실이 있습니다. 우리 서로 사무실 주소를 사용하지 않겠습니까? 그럼 저는 도쿄 지점이 생기고, 당신은 스위스와 베벌리힐스에 지점이 생기는 것 아닙니까. 게다가 한 푼도 안 들이고. 하룻밤에 국제 기업이 되는 거죠. 하하하."

웃을 일이 아니잖아! 나는 놀란 나머지 굳어버리고 말았다.

이거야 내가 헌팅하려고 했더니 미녀가 먼저 말을 걸어오는 것이나 다름없지 않은가? 이제 '세미나는 국제 비즈니스로 이어지는 워프 입구'라고 말한 이유를 조금은 이해했는가?

06

식은땀과 영어 실력의 관계

그럼 해외 세미나에 참가하면 어떻게 될까? 당신은 '식은땀'을 뻘뻘 흘리게 될 것이다. 주위를 아무리 둘러봐도 온통 외국인들에 들려오는 말은 영어뿐, 상대방이 무슨 말을 하는지 전혀 알아들을 수 없는 상황이다. 큰 규모의 세미나에 참가했다면 앉아서 듣기만 하면 된다. 그러나 분야에 따라서는 20~30명 규모의 세미나도 많다.

그러면 연습 삼아 세미나 참가자들과 팀을 이뤄 토론도 한다. 난생처음 보는 외국인과 한 팀이 되는 것이다. 당장 죽어버릴 것 같은 심정이다. 핏기가 싹 가신다. 덥지도 않은데 손바닥이 땀에 흠뻑 젖는다.

"어떻게 하지? 이렇게 식은땀 범벅인 상태로 뭘 어쩌면 좋지?"

닦으면 된다. 어차피 세미나가 끝나면 생판 남이다. 당신의 영어가 아무리 형편없어도, 설령 당신이 멍청하게 굴어도 아무도 당신을 비판하지 않는다. 그 누구도 점수를 매기지 않는다.

그러나 당신이 그 자리에서 아무리 우스꽝스러운 짓을 했다 해도 일본으로 돌아오면 세계적인 세미나에 참가한 영웅이다. 참가한 것만으로도 귀중한 체험과 지식을 얻을 수 있다.

후쿠자와 유키치는 영어를 배우기 위해 1년간 샌프란시스코에 갔었다. 배가 난파하거나 표류할 가능성이 컸던 그 시대에 말이다. 당연히 식은땀이 계속 흘렀을 것이다. 그 땀 한 방울 한 방울이 근대 일본을 만들었다.

그러니까 식은땀을 흘릴 때마다 이 땀들이 훗날 당신을 부자로 만들어 줄 것으로 생각해라.

평범한 인생에서 식은땀을 흘릴 기회는 그리 많지 않다. 식은땀은 용사의 특권이다.

물론 첫날은 공황 상태에 빠질 것이다. 얼떨결에 회장(會場)에 기어들어 온 개가 된 심정이랄까? 둘째 날도, 셋째 날도 마찬가지일 것이다. 그러나 인간은 위기에 처하면 믿을 수 없는 일을 해내는 법이다. 내부에 잠재되어 있던 힘이 솟아오르기 때문이다.

일주일만 지나면 익숙해지기 시작할 것이다. 이상하게도 공황 상태에 익숙해져서 마음이 차분히 가라앉는다. 발버둥 치다 지쳐서 더는 발버둥 치지 않게 된다. 영어도 인간관계도 무섭지 않게 된다.

그렇다고 해서 아무 준비 없이 가서는 안 된다. 예를 들어 당신이 로버트 기요사키에게 관심이 있다고 가정하자. 그의 세미나에 참가하고 싶으면 시판 중인 로버트 기요사키의 카세트테이프 교재를 구매해서 듣도록 해라. **귀가 영어에 익숙해질 때까지 들어라. 내용이 어렴풋이 이해될 때까지 되풀이해서 들어라. 그러면 당신은 당당하게 세미나에 참가할 수 있다.**

몇 번이나 말해서 미안하지만, 나는 대학원을 두 군데나 졸업했다. 그런데도 세미나에 참가하면 내용을 전부 이해할 수 없다. 50퍼센트, 아니 30퍼센트 정도밖에 이해하지 못할 때도 있다. 그게 보통이다. 아무리 영어를 공부해도 말이다.

그래도 인생이 송두리째 뒤집히는 경험을 할 수 있다. 아이디어 하나만 갖고 돌아와도 억 단위의 비즈니스로 이어질 때도 있다. 복권보다 확률도 훨씬 높다. 또 세미나에서는 반드시 텍스트를 나눠준다. 강사의 이야기를 들으며 텍스트를 넘겨보자.

왠지 중요해 보이는 단어가 눈에 들어올 것이다.

'그래, 이게 핵심 콘셉트구나' 짐작이 오면, 그 후부터는 직소 퍼즐을 맞추듯 전체적인 그림이 단숨에 보이기 시작한다. 말이 통하지 않는 곳에 던져지는 것은 무시무시한 일이다. 지금까지 쌓아온 경험이 순식간에 사라져 버린다. 당신은 개처럼 꼬리를 흔들 수밖에 없다.

평생 기억에 남을, 좀처럼 겪기 힘든 무서운 체험이다. 죽기 전에 주마등처럼 떠오르는 기억 중 하나는 분명 그 체험일 것이다. 어떤 제트코스터보다도 무섭다. 그러나 제트코스터와 마찬가지로 내리고 나면 즐겁다. 끝나고 나면 가슴이 뜨거워질 것이다. 전에 없던 자신감이 솟아오를 것이다.

나는 용기 있게 도전했다는 자신감. 결단을 내리고 실행에 옮겼다는 자신감. 그러니까 딱 일주일만 식은땀을 흘려보라. 울고 싶어질 것이다. 도망치고 싶어질 것이다. 그러나 태풍이 지나간 후에는 세상이 달라 보인다. 이 무서운 체험을 마치고 나면 당신은 영어를 활용할 수 있게 될 것이다.

아니, 이미 영어를 활용하고 있는 자신을 만나게 될 것이다. 일본이라는 일상적인 공간으로 돌아왔을 때 당신은 이미 국제적인 비즈니스맨이다.

07

어떻게 하면 워프의 입장권을 얻을 수 있을까?

이쯤에서 묻고 싶은 점이 있을 것이다.

"분명히 세미나나 전시회는 비즈니스와 직결되는 입구일지도 몰라. 그런데 세미나 개최 정보를 얻으려면 어떻게 해야 하지?"

이 질문에 대한 대답은 내 체험을 통해 이야기하겠다. 내가 참가했던 세미나는 주로 비즈니스 관련이지만, 참고삼아 몇 가지 꼽아보겠다.

- 댄 S. 케네디(Dan S. Kennedy)의 마케팅 세미나
- 《포토리딩》 속독 세미나

- 자크 워스(Jacques Werth)의 《고확률 세일즈》 세미나
- 피터 클라인(Peter Kline)의 가속 교육
- 마틴 셰너드(Martin Chenard)의 전략 세미나

당신도 이미 눈치챘을 것이다.

내가 이 세미나들을 알게 된 계기는 그들의 저서다.

제2 스텝 '정보 대량 입력', 즉 '원서 공략'이 실마리가 된 셈이다. 제2 스텝에서 배운 잡지와 책 읽는 법은 제3 스텝으로 이어지는 매우 의미 있는 과정이다.

미국의 비즈니스 서적 저자는 컨설턴트를 겸하고 있는 경우가 많다. 책에는 저자의 홈페이지 주소가 실려 있다. 먼저 그 홈페이지에 접속해라. 그럼 가만히 앉아 있어도 저쪽에서 정보가 날아온다. 무료 뉴스레터, 전화 세미나, 강연회, 심포지엄 등 안내문의 종류도 다양하다.

광고 메일이라고 생각해서는 안 된다. 15년 후, 20년 후의 정보가 담겨 있는 메일을 스팸 메일이라고 할 수 있을까? 내게는 미래에서 온 이 정보가 공짜로 보내주는 현금'처럼 느껴진다. 그만 가치 있는 메일이다. 자료를 청구하고 상품을 구매한 순간 당신의 주소는 미국에 인수된다. 그 결과 다양한 회사에서 DM이 날아오게 된다.

"사생활 침해 아닌가?"

그럴지도 모른다. 하지만 그 결과 저쪽에서 당신을 발견하게 된다. 굉장한 미인이 먼저 말을 걸어오는 셈이다.

나는 종종 이런 질문을 받곤 한다.

"간다 씨는 어디서 정보를 얻습니까?"

"대체 어떤 신문과 잡지를 읽고 계십니까?"

(그 답변은 '부록' 장에 자세히 공개하겠다).

솔직하게 고백하면 제일 훌륭한 비즈니스 정보원은 해외에서 날아오는 DM, 즉 광고 메일이다.

광고 메일에는 비즈니스의 전략과 구성 그리고 철학 등 모든 것이 담겨 있다. 가장 공부가 되는 '살아 있는 정보'가 무료로 날아오는 셈이다.

"저자의 이메일 리스트에 이름을 올리는 건 간단하겠죠. 하지만 그럼 컨설턴트 정보밖에 얻을 수 없지 않나요?"

맞는 말이다. 따라서 정보의 폭을 넓히려면 잡지를 이용해야 한다. 창업가들의 잡지에는 '프랜차이즈 모집'이라는 것이 있다. 그 광고를 보고 자료를 청구하면 훌륭한 비디오테이프와 팸플릿이 날아온다.

여기서 주목할 점은 최근 미국의 프랜차이즈 동향이다. 일본에서는 프랜차이즈 하면 먼저 음식이나 유통업계가 떠오른다.

그러나 일본보다 15년 앞서 '지가 사회'로 이행한 미국에서는 서비스업 프랜차이즈가 두각을 나타내기 시작하고 있다(재산관리 서비스, 주택할부금 융자 서비스, 경영 컨설팅, 사무실 서류 정리 서비스, 노인 보호 서비스, 반려동물 케어 등).

즉 미국은 'CHAPTER 1'에서 예를 든 지가 사회의 성장 산업 프랜차이즈화가 진행되고 있다. 몇 년 후에는 일본도 이 흐름에 동참하게 될 것이란 생각은 너무 성급한 판단일까? 일단 어느 한 곳에 자료를 청구하면 당신의 주소는 리스트에 오르게 된다. 그럼 다양한 프랜차이즈 본부에서 자료가 날아올 것이다.

비즈니스에 성공하는 비결은,

첫째도 개업 타이밍.

둘째도 개업 타이밍.

셋째도 개업 타이밍이다.

일본 최초로 프랜차이즈 계약을 하면 일본의 마스터 프랜차이즈 권리를 갖게 되어도 이상할 게 없다. 맥도날드, 세븐일레븐, KFC, 미스터 도넛, 킨코스도 그렇게 시작했다. 21세기에 번창할 프랜차이즈는 아직 일본에 들어오지 않았다. 누군가가 손을 들 때까지 기다리고 있다.

'해외에서 개최되는 세미나에 참가한다. 세미나 회장에서 비즈니스 파트너를 만난다.' 지금 당신에게는 꿈같은 이야기일

수 있다. 그 마음은 나도 안다. 왜냐, 6년 전의 나도 그랬기 때문이다. 그런데 기회란 당신이 계속해서 쫓아야만 찾아오는 것이 아니다. 당신이 정말로 굳은 결심을 했을 때 기회는 당신의 눈앞에 홀연히 나타난다. 즉 기회가 찾아왔을 때 받아들이면 된다.

당신에게 입학시험이 제시되었다. 그 시험을 피할 것인가? 받아들일 것인가? 그것은 당신의 선택에 달려 있다.

08

비즈니스 교섭 성립
: 드디어 클라이맥스 돌입

나는 이렇게 말했다. "일단 워프 입구에 서면 모든 것이 급속도로 진행된다"라고. 당신은 이미 첫걸음을 내디뎠다. 원래 첫 걸음을 내딛는 것이 가장 힘들다. 당신은 그 힘든 첫걸음을 이미 내디뎠다. 첫걸음을 내디디면, 걸음을 멈추기는 어렵다. 두 번째 걸음부터는 발이 자연스럽게 앞으로 나간다.

당신은 그저 땅을 디디기만 하면 된다. 자연스럽게. 그러다 보면 떠밀리듯 국제 비즈니스 무대 위로 올라가게 된다. 그것은 첫걸음을 내디딘 순간부터 결정된 사실이다. 비행기에 타면 목적지에 도착하는 것처럼.

'STEP 4'에는 아무런 어려움도 없다. 다만 당신의 여행이 더욱 편안해지도록, 당신이 기내에서 쾌적하게 지낼 수 있도록 몇 가지 지식을 전수하겠다.

다음 세 가지를 알아두면 비즈니스 교섭에 도움이 된다.

첫째, 성사시킬 수 있는 비즈니스는 이미 정해져 있다.

둘째, 영어 실력에 의지하여 상담을 해서는 안 된다.

셋째, 최소한의 영어 실력으로 유창하게 말하는 요령을 익혀라.

다음 장부터 하나씩 구체적으로 설명하겠다.

09

성사시킬 수 있는 비즈니스는 이미 정해져 있다

당신은 워프 입구에 섰다. 체험을 통해 당신의 영어가 그럭저럭 통한다는 것도 알았다. 일본에서 틀림없이 성공할 만한 비즈니스 기회도 발견했다.

“좋아, 큰맘 먹고 비즈니스 얘기를 꺼내 볼까? 일본 시장을 개척하면 저쪽도 손해 볼 건 없잖아. 간다 씨의 말처럼 나는 힘들게 일본에서 온 사람이야. 함부로 대하지는 않겠지.”

그렇게 생각하고 상대방에게 접근해서 실제로 이야기를 꺼내보면… 아무로 당신을 상대해주지 않는다. 돌아오는 것은 무시뿐.

“너무하네. 이렇게까지 무시할 건 없잖아. 역시 영어가 서툴러서 상대해주지 않는 걸까?"

당신은 실망해서 자신을 책망할지도 모른다.

"대체 내가 뭘 잘못한 걸까?"

모든 결과에는 원인이 있다. 이 실패의 원인을 알면 해외 비즈니스 교섭의 스트레스가 사라지고 즐거움만 남게 될 것이다. 대체 어디가 잘못된 것일까?

'내가 뭘 잘못한 걸까?'라고 생각하는 한 진정한 답은 찾을 수 없다.

왜냐하면 답은 '상대방의 잘못'이기 때문이다.

국제 비즈니스는 국내 비즈니스와 조금 다른 면이 있다. 비즈니스 플랜이 아무리 매력적이라도, 당신에게 아무리 열의가 있어도, 아무리 많은 돈을 벌 수 있어도 안 되는 것은 안 된다.

어째서일까? 국제 비즈니스의 성립은 오로지 '상대방이 일본과 거래를 하고 싶은가'에 달려 있기 때문이다. 내가 외국과 몇 번의 거래를 하면서 알게 된 것은, 성공할 거래처와는 성공하고 실패할 거래처와는 실패한다는 사실이다. 처음부터 그렇게 정해져 있다. 이유는 단순하다. 미국인은 대부분 해외와 거래하기를 원하지 않는다. 국내시장만으로 충분히 만족하고 있기 때문이다.

"굳이 해외 비즈니스를 할 필요가 있나? 귀찮은 건 질색이야."

이렇게 생각하는 사람이 대부분이다. 할 수 없다. 일본인도 마찬가지니까 말이다. 당신은 네팔, 또는 인도와 무슨 일이 있어도 비즈니스를 하고 싶은가? 대부분 그런 생각조차 하지 않을 것이다.

앞에서 말했듯이 해외 세미나에 일본인이 참가하면 사람들은 일단 흥미를 나타낸다. 그러나 막상 비즈니스 얘기를 꺼내면 사정은 달라진다. 저쪽에서는 교섭에 응할 경우, 아무것도 없는 상태에서 시작해야 한다. 수량, 가격, 해외 운송, 계약서 변경, 해상보험 등 생각만 해도 귀찮은 일투성이다. 국내 사업만으로도 바쁜데, 굳이 일본인의 더듬대는 영어를 들어줄 필요는 없다.

그렇기에 대부분 미국인에게 일본과의 거래는 상상 밖 일이다. 비즈니스 상대로 일본의 우선순위는 매우 낮다. 물론 소수지만 그렇지 않은 사람도 있다. 해외 비즈니스에 적극적인 회사나 어째서인지 일본을 좋아하는 회사도 있다. 그들은 일본과 거래하는 데 아무 거부감이 없다. 이런 상대라면 성공한다. 맥빠질 만큼 쉽게 성공한다. 영어가 서툴러도 상관없다.

그 이유가 뭘까? 상대방의 목적이 국제 비즈니스이기 때문이다. 극단적으로 말하면, 그런 목적 때문에 이윤이 적어도 크게 문제 삼지 않는다. 그들에게는 '국제적인 비즈니스를 하고 있다'라는 사실이 사내를 활성화하는 중요한 요인이 된다.

물론 대기업은 국제 비즈니스가 얼마나 귀찮은 일인지 알기에 이윤이 확보되지 않으면 교섭에 응하지 않는다. 그러나 중소기업은 자사의 제품이 국제적으로 유통된다는 사실만으로도 관록이 붙는다.

10

비즈니스의 실마리를 푸는 마법의 구절

비즈니스가 성공할 것인지, 실패할 것인지 궁금한가? 그건 오직 상대방의 마음에 달려 있다. 상대방이 외국과 거래를 원하는지, 일본과 비즈니스를 할 마음이 있는지 그것뿐이다.

상대방이 일본과의 거래에 흥미가 있는지를 판단하려면 어떻게 해야 할까? 간단하다. 비즈니스의 실마리를 풀기 위한 세 가지 마법의 구절을 가르쳐주겠다.

① Hi, Paul. My name is Masanori. I came from Japan to attend this seminar. May I ask you a question? Would you be interested in promoting your products in Japan?

② I do have prospects already in Japan. They will be very interested in your products.

③ Who would be the best person to get in touch with?

글씨가 굵은 부분을 주목해라(녹색 글씨임). 이것이 비즈니스의 실마리를 푸는 '마법의 구절'이다.

왜 이 말이 중요할까? 첫 단계의 목적이 다음 세 가지이기 때문이다.

① 상대방이 일본과의 비즈니스에 흥미가 있는지 파악한다.

② 자신의 신뢰성을 어필한다.

③ 다음 스텝을 확인한다.

이 세 가지 목적을 전제로 삼으면, 앞서 말한 '마법의 구절'이 얼마나 최소한의 말로 원하는 결과를 얻을 수 있는 표현인지 알게 될 것이다. 그럼 세 가지 마법의 구절을 설명하겠다.

[첫 번째 마법의 구절]

Q. Would you be interested in promoting your products in Japan?

(당신의 상품을 일본에서 프로모션하고 싶은데 흥미 있으십니까?)

여기서 포인트는 'Promote'라는 단어다. 프로모션(Promotion)은 마케팅에서 브랜딩, 세일즈까지 모든 것을 포함하는 멋진 말이다. 따라서 상대방에게는 매우 매력적으로 들리기 마련. 좀처럼 'No'라고 대답할 수 없는 표현이다.

당신은 중학교에서 영어를 배웠을 것이다. 그럼 저 문장이 뭔가 이상하지 않은가?

'Would you be interested in…' 이라는 표현은 중학교에서 배우지 않았는데'라고 생각할 수 있다. 중학교에서는 'Are you interested in…' 라고 배웠을 테니까. 물론 'Are you interested in…' 라고 해도 상관없지만, 처음 만나는 사람에게는 좀 더 정중한 표현을 사용하는 게 좋다. 일본어로 말하자면 '흥미 있습니까'와 '흥미 있으십니까'의 차이다.

별로 대수로운 문제는 아니니 '난 이런 표현은 생각도 못했는데'라고 실망하지 말라. 지금 기억하면 된다. 이 질문은 상대방이 일본과의 비즈니스에 흥미를 지니고 있는지 판단하기 위한 질문이다. 그럼 상대방이 'Yes'라고 대답하면 가능성이 있는 것일까? 사실 그 Yes에는 아무 의미도 없다.

'흥미 있습니까?' 하고 물으면 누구나 흥미 있다고 대답할 것이다. 정말 흥미가 있는지 파악하려면 상대방이 당신의 이야기에 얼마나 열성적으로 대답하는지 살펴봐야 한다. 또 정말 진지하게 생각하고 있는지 눈을 통해 확인해보자. 얼마나 진지한지, 얼마나 정열을 가졌는지 파악하는 것이다. 부디 Yes라는 말에 현혹되지 않기를 바란다.

[두 번째 마법의 구절]

I do have prospects already in Japan.

(나는 이미 일본에 당신의 상품을 살 가능성이 있는 잠재고객을 확보하고 있습니다.)

'Prospects'는 생소한 단어일지도 모른다. 비즈니스 용어로 '잠재고객'이라는 뜻이다. 이 단어는 사전을 찾아봐도 '전망·예상'이라고 나올 뿐 '잠재고객'이라는 뜻은 실려 있지 않다. 이 표현만 봐도 비즈니스를 하고 싶으면 왜 비즈니스 분야에 집중해서 영어를 공부해야 하는지 알 수 있을 것이다.

비즈니스 교섭이란 상대방에게 얼마나 돈을 벌게 해줄 수 있는지 흥정하는 것이다.

그 흥정을 진지하게 받아들이는 회사라면 교섭이 성사될 수 있다.

상대방은 당신의 이야기에 귀를 기울이며 마음속으로 무슨 말을 하고 있을까? 'Show Me The Money!'다. 즉 "말은 그럴

듯하지만, 당신 정말 내를 돈 벌게 해줄 수 있어?"라는 뜻이다. 따라서 최소한의 영어로 상대방을 설득하려면 자신은 이미 그 쪽 회사의 상품을 구매할 잠재고객을 확보하고 있다고 강조해야 한다.

잠재고객이 없으면 다른 것을 내세워도 된다. 예를 들면 '양판점과 인맥이 있다, 출판사와 연줄이 있다'라는 식으로 말이다. 잠재고객이 있다고 선언한 다음 나중에 열심히 잠재고객을 확보하는 방법도 있다. 잘 연구해 보도록 하자. 어쨌든 이용할 수 있는 모든 방법을 전부 이용해라. 그 열정과 진지함이 상대방을 움직일 것이다.

[세 번째 마법의 구절]

Who would be the best person to get in touch with?

직역하면 '교섭해야 할 최고 책임자는 누구입니까?'이다. 물론 상대가 작은 회사일 경우 당신 앞에 있는 사람이 최고 책임자일 것이다. 그러나 되도록 상대방이 직접 '내가 최고 책임자'라는 말을 하게 만드는 편이 좋다. 자기 입으로 최고 책임자라고 말한 이상 교섭을 끝까지 책임질 테니까 말이다.

이렇게 질문하면 자신의 연락처를 알려주거나 '세미나가 끝난 후 차 한잔하시겠습니까?'라고 권해 오기도 한다. 당신은 세미나에 참가한 게스트다. 이곳에서는 지금까지 만날 수 없었던 세계적인 저명인사와도 쉽게 접할 수 있다(Easily Accessible).

말해두지만, 세 가지 '마법의 구절'을 앵무새처럼 따라 하라는 것이 아니다. 상황에 맞게 조금씩 표현을 바꿔야 한다. 외워둬야 할 것은 이 세 구절의 패턴이다.

이 세 가지 '마법의 구절'을 응용하면 최소한의 영어 실력으로 단시간에 상대방의 관심을 끌 수 있다. 비즈니스 교섭의 계기를 잡기 위해서는 안성맞춤이다.

비즈니스는 일단 기반을 다져놓으면 그다음부터는 순조롭게 진행된다. 또한 기반을 다지는 방법의 패턴은 그렇게 많지 않다. 내가 해외 비즈니스의 계기를 잡기 위해 구사한 영어는 앞서 말한 세 가지 패턴밖에 없다.

11

영어 실력에 의지하여 상담해서는 안 된다

비즈니스 교섭에 성공하려면 어느 정도의 영어 실력이 필요할까? 일반적으로는 영어가 유창할수록 교섭에 성공할 가능성이 크다고 생각한다. 자사 제품의 특징과 장점을 알기 쉽게 어필하고, 논리적인 프레젠테이션을 막힘없이 구사할 수 있는 영어 실력이 필수라고 여긴다.

그러나 '국제 비즈니스'에서 유창한 영어는 양날의 검이다. 지금부터 그 이유를 설명하겠다.

영어의 달인은 대부분 '세일즈의 달인'이 못 된다. 영어의 달인은 유창하게 말하면 상대방을 설득시켜서 계약을 따낼 확률이 높다고 생각하겠지만, 오히려 그 반대다.

세일즈의 달인은 교섭을 할 때 많은 말을 하지 않는다.

말을 많이 하면 많이 할수록 비즈니스는 멀어진다는 사실을 알고 있기 때문이다.

저명한 세일즈 컨설턴트인 자크 워스(Jacques Werth)는 몇 년에 걸쳐 70여 종의 업계에 종사하는 미국의 탑세일즈맨 312명을 조사했다. 그 결과 계약을 성사시키기 위해서는 교섭을 할 때 세일즈맨이 상담 시간의 25퍼센트 이상 이야기해서는 안 된다는 결론을 내렸다.

세일즈는 유창한 '언변(言辯, 말솜씨)'으로 물건을 파는 것이 아니다. 중요한 것은 말하는 기술이 아니라 상대가 원하는 것을 알아내는 기술이다. 따라서 세일즈를 모르는 영어의 달인이 해외 비즈니스를 하면 말만 끝없이 늘어놓을 뿐 비즈니스는 진전되지 않는다. 영어 실력을 향상하기에는 좋지만, 본래의 목적인 비즈니스가 성사되지 않는 것이다.

세일즈의 본질을 일깨워주는 멋진 에피소드를 소개하겠다. 미국에 유명한 〈자니 카슨 쇼(Johnie Carson Show)〉라는 토크쇼가 있다. 어느 날 사회자인 자니 카슨(John Carson)이 세일즈의 달인을 게스트로 초대했다.

"당신이 세일즈의 달인이라는 게 사실입니까? 시험 삼아 이 테이블 위의 재떨이를 제게 팔아보시죠."

그러자 세일즈의 달인은 이렇게 말했다.

"How much will you pay for it?" (얼마면 사시겠습니까?)

"Well, just one dollar." (음, 1 달러라면 사죠.)

그러자 세일즈의 달인은 즉각 이렇게 말했다.

"Done!" (교섭 성립!)

이 에피소드에는 세일즈의 핵심이 담겨 있다.

세일즈를 할 때는 먼저 상대방에게 만족할 만한 구매 조건을 물어봐야 한다. 자니 카슨이 내건 구매 조건은 1달러로, 그 '1달러'란 조건이 허용할 수 있는 범위라면 즉각 '교섭 성립'이다. 이 재떨이의 품질은…'라고 설명할 필요는 없다. 자신이 얼마나 성실한 세일즈맨인지 떠들어댈수록 오히려 계약은 멀어진다.

중요한 건 상대를 만족시킬 수 있는 조건을 알아내는 것, 그리고 그 조건에 맞는 제안을 하는 것이다. 그러면 어떤 사람에게, 어떤 상품이라도 팔 수 있다. 이것이 세일즈의 진실이다. 당신의 영어가 네이티브 스피커 수준에 못 미친다면 더욱 이 말의 뜻을 절감할 수 있을 것이다.

그럼 영어를 거의 사용하지 않고 교섭을 성립시키기 위해서는 구체적으로 어떻게 해야 할까? 답은 상대에게 전하고 싶은 내용을 사전에 준비하여 이메일로 보내는 것이다. 듣고 보면 너무 당연하고 뻔한 방법이지만 사실 이건 편법이다.

실제로 내가 거래할 때 보냈던 메일을 찾기 위해 옛날 메일함을 뒤져보았다. 앞 페이지에(추후 기재) 소개된 메일은 내가 판매권을 얻기 위해 미국의 한 회사로 보냈던 영문 메일이다. 이 메일에서 주목할 점은 다음 네 가지다.

첫째, 이미 상대의 고객임을 주장한다.

둘째, 신뢰할 수 있는 사람임을 어필한다.

셋째, 판매할 능력이 있음을 알린다.

넷째, 상대가 만족할 만한 거래 조건을 내건다.

이 네 가지 중 '둘째'와 '셋째'는 앞에서 말한 '마법의 구절'과 중복된다. 이번에는 거기에 두 개의 항목을 추가했다. 회화는 상대의 관심을 끌기 위한 시간이 30~45초밖에 없는 데 비해 문장은 좀 더 많은 정보를 제공할 수 있기 때문이다.

중요한 건 문장 서두에 자신은 이미 '고객'임을 강조하는 것이다. 고객을 무시했다가는 항의가 날아올지도 모르기 때문에 이렇게 강조하면 반드시 메일을 읽는다.

만나고 싶은 사람과 접촉할 수 있는 가장 빠른 방법은 그 사람이 경영하는 회사의 우수 고객이 되는 것이다.

하나 더 중요한 사항은 상대가 만족할 만한 거래 조건을 묻는 것이다. 세일즈의 프로가 재떨이를 팔 때처럼 상대가 원하는 조건을 파악하고, 그 조건을 받아들일지를 결정해야 한다. 이 시점에서 교섭은 이미 결렬될 가능성보다 성립될 가능성이 크다.

그것 봐라. 내 말이 맞지 않나? 계기만 잡으면 나머지는 간단하다. 그럼 교섭이 성사되는 과정에서 가장 어려운 행동은 무엇일까? 바로 세미나에 가서 말을 거는 것이다. 그 뒤로는 흐름에 몸을 맡기고 자신이 해야 할 일을 하면 된다.

"말은 쉽지만, 저는 간다 씨처럼 경력이나 실적도 없고…"

그건 그렇다. 나의 경력과 실적은 외국인에게 잘 먹힌다(실제 본인은 별 볼일 없지만…). 내가 이 메일을 보낸 것은 서른다섯 살 때다. 이 책을 읽고 있는 지금 당신의 나이가 24세라고 가정해 보자. 당신에게는 두 가지 길이 있다.

첫 번째 방법은 24세에 도전하는 것. 구체적으로는 당신이 지금까지 쌓아온 실적 중에서 가장 자랑스러운 실적을 골라 겸손해할 것 없이 메일로 써보는 것이다. 당신의 빛나는 부분을 최대한 부각해서 말이다. 이것을 '자기 프로듀스'라고 한다.

두 번째 방법은 현실적으로 볼 때 자신에게 해외 비즈니스가 너무 이르다고 판단되면 5년 후를 기약하는 것이다. 두 번째 방법을 선택했다면 당신은 준비를 시작해야 한다. 해외 비즈니스의 기회는 기다리는 자가 아니라 '준비한 자'에게 찾아오는 법이다.

대체 5년 후 어떤 메일을 보내면 자신이 원하는 해외 비즈니스를 할 수 있을까? 그것을 확실하게 설정하고, 5년 후에 보낼 메일을 실제로 써보자. 그 메일을 쓸 때는 '지금 자신이 하는 일 가운데 어떤 부분이 도움이 될까?', '메일에 적혀 있는 자신이 되려면 어떤 경험을 쌓아야 할까?' 미래를 떠올리며 생각해보자.

그 순간 당신은 지금 눈앞에 있는 보물을 발견할 수 있을 것이다. 시시하다고 생각했던 일들이 미래를 완성하는 중요한 퍼즐 조각임을 알게 될 것이다.

현재는 미래로 이어진다. 그 사실을 깨닫지 못하면 눈앞의 현실은 단순히 평범한 일상으로 끝날 뿐이다. 그러나 세상에 평범한 일상 같은 건 없다. 기적은 매일 당신의 눈앞에서 일어나고 있다. 거짓말이 아니다. 정말이다.

12

최소한의 영어 실력으로 유창하게 말하는 방법

비즈니스의 계기를 만들어주는 세 가지 '마법의 구절'만 익히면 나머지는 자연스럽게 어떻게든 된다. 하하하.

"하하하? 웃으면서 얼렁뚱땅 넘어가는 걸 보려고 이 책을 산 줄 알아?"

그렇게 투덜거리면서도 당신은 반드시 해낼 것이다. 무아지경(無我之境)에 빠져 달리다가 정신을 차려보면 영어로 말하는 게 당연해져 있을 것이다. 사실 나도 그렇게 달려왔다. 그러나 도중에 문제가 없었던 것은 아니다. 문제가 일어날 줄 알면서도 '하하하'로 얼버무릴 수는 없으니, 좀 더 도움이 되는 이야기를 하겠다.

영어를 실제로 활용하기 시작하면 한 가지 문제가 생긴다. 말이 도중에 자꾸 막혀버리는 것이다.

예를 들어 당신은 지금 '관세'라는 말을 영어로 해야 한다. 그런데…

"응? 관세가 영어로 뭐였더라?"

당황하는 당신. 주위는 조용해진다. 외국인은 어색한 표정으로 당신의 말을 기다리고 있다.

"음, 음."

긴장하면 긴장할수록 떠오르지 않는다. 그래서 할 수 없이….

"Japanese Kanzei, you know?"

'칸~세~'라고 혀를 굴려서 얼버무리려고 해봤지만, 당신의 시도는 당연히 실패. 게다가 'You know?'라고 해봤자 외국인이 알 리가 없다. 덕분에 대화는 중단, 회의실은 영하 40도. 꽁꽁 얼어붙은 분위기다. 이것이 서툰 영어에서 벗어나지 못하는 원인이다. 영어가 막혀서 좌절감을 맛보는 이유는 단어가 재빨리 튀어나오지 않기 때문이다.

반면 단어 실력도 부족하고, 표현력도 초등학생 수준이지만 영어를 잘한다고 오해받는 사람이 있다. 무엇을 숨기랴. 바로 나다. 사실 어휘력도 빈곤하고, 문법도 엉망진창. 영어 교사가 들으면 내가 쓴 책들을 불태워버릴지도 모른다.

그러나 나는 남들 앞에서 이야기하면 '외국인 수준'이라는 평판을 듣는다. 정말 자연스럽게 커뮤니케이션을 한다는 것이다. 어떻게 그럴 수 있을까? 서툰 영어를 얼버무리는 테크닉을 익혔기 때문이다. 일본인을 속이기야 쉽지만, 놀랍게도 네이티브 스피커도 속아 넘어간다. 천하제일 사기꾼이란 바로 나를 말하는 것이다. 하하하.

말이 나온 김에 이 사기꾼의 테크닉을 전수하겠다. 잔재주이지만 여차할 때는 도움이 될지도 모른다. 그 테크닉의 본질을 한마디로 알려주겠다.

유창하게 말하려고 하니까 안 되는 것이다.

만약 영어가 막혔다면, 막히게 된 원인을 없애버리면 된다. 그 비법을 몇 가지 공개하겠다.

13

커뮤니케이션을 원활하게 만드는 첫마디

'나리타 이혼'이라는 말이 있다. 결혼한 지 얼마 안 된 부부가 신혼여행 중에 서로의 관계가 나빠져서 나리타 공항에 도착하자마자 이혼하는 것을 가리킨다. 예를 들겠다. 한 신부는 해외로 신혼여행을 떠나며 신랑을 굳게 의지했는데 알고 보니 영어 실력도 형편없고, 모든 부분에서 믿음직스럽지 못했다. 그렇게 여행 내내 옥신각신 싸우다가 그대로 헤어졌다.

나의 철학은 이제 당신도 대충 알았을 것이다. 첫걸음이 제일 어렵다. 두 번째 걸음부터는 간단하다. 첫 단추를 잘 끼우면 나머지 단추도 잘 끼울 수 있다. 이 법칙은 영어 회화에도 그대로 적용된다. 가장 어려운 것은 첫마디다. 두 번째는 간단하다.

세 번째는 대화의 흐름을 따라가다 보면 어떻게든 된다. 이것이 나의 엉망진창 이론이다. 하지만 그 엉망진창의 결과는 훌륭하다.

그러니 이제부터 당신에게 마법의 한 마디를 가르쳐주겠다.

상상해보자. 당신이 신랑이고 아름다운 신부와 함께 신혼여행을 떠났다. 그런데 신혼여행에는 '자유행동'을 하는 날이 있다. 신부는 어딘가 로맨틱한 곳에 가자고 말한다. 그런데 당신은 국제면허증이 없어서 가이드가 딸린 택시를 부를 수밖에 없다. 인터넷으로 검색한 결과, 관광객용 택시가 있다는 사실을 발견했다.

당신은 수화기를 들고 폰 넘버를 누른다. 신부는 당신이 얼마나 영어를 잘하는지 들어보려고 귀를 종긋 세운다. 용건을 마치친 당신은 태연하게 수화기를 내려놓는다.

"어머, 이 사람은 영어를 정말 잘하네. 결혼하길 잘했어!"

신부가 그렇게 생각하게 만드는 첫마디가 있다. 그게 무엇일까?

"Hi, I have a question for you."

"Hello, May I ask you a question?"

상대방이 '여기는 ○○관광 리무진 서비스입니다'라고 영어로 말하면, 당신은 자신 있게 'Hi, I have a question for you' 라고 말하는 것이다. **왜 이 표현이 중요한 것일까? 먼저 중학교 1학년도 알 수 있는 표현이므로 누구나 자신 있게 말할 수 있다.** 그리고 상대방은 이 말을 듣고 나서 당신의 질문에 대답할 마음의 준비를 하게 된다.

상대방이 들어줄 준비가 되면, 두 번째 말도 침착하게 할 수 있다. 당신이 'Hi, I have a question for you'라고 말하면 상대는 'Sure, what can I do for you?'라고 대답할 것이다. 그럼 당신은 미리 생각해둔 두 번째 문장을 말한다.

"We are here for our honeymoon, and we would like to visit special sightseeing spots around this area. Do you have any recommendation?"

이 말을 전에 배운 대로 목소리를 한 옥타브 낮춰서 천연덕스럽게 말해보자. 미리 30분 동안 머릿속에서 짜맞춘 문장이라 해도 신부에게 그 사실을 들켜서는 안 된다. 그다음부터는 상대방이 일방적으로 떠들어댈 것이다. 무슨 말인지 못 알아들어도 당황할 필요는 없다.

어차피 상대방은 네이티브 스피커밖에 사용하지 않는 표현을 마구 섞어서 말하기 때문에 나도 가끔은 못 알아들을 때가 있다. 그러니까 요점만 듣도록 하자. 잘 모를 때는 확인하면 그만이다. 확인할 때는 자신이 알아들은 부분 중에서 뭔가 이거다 싶은 말을 따라 하면 된다. 상대방이 당신의 질문을 알아듣는 것 같으면 'Yes, please'라고 말해라.

이래도 되는 걸까? 원래 다 그런 것이다. 일본어도 다를 바 없다. 고급 레스토랑에 가면 보통 와인 메뉴판을 건네준다. 메뉴판에는 도통 알 수 없는 와인 이름이 잔뜩 적혀 있다. 소믈리에의 말도 일본어가 아니라 무슨 외국어처럼 들린다. 아는 건 달랑 가격뿐. 그래도 사람들은 잘 아는 듯한 얼굴로 '그럼 89년산 샹베르탕'이라고 주문한다. 테이스팅할 때는 맛도 모르면서 '맛있군. 이 진한 풀보디의 향기'라고 말한다.

영어도 마찬가지다. 생각해보라. 애초에 신부가 신랑의 영어 실력을 판단하는 시간은 처음 30~60초 사이에 불과하다. 그 60초만 완벽하게 넘기면 당신은 외국인 수준이라는 평판을 받게 될 것이다.

이런 얘기를 하면 영어 교사에게 "보기에만 그럴듯하게 넘기면 다야!" 하고 혼날 것이다. 그건 각오하고 있다. 하지만 단순히 보기에만 그럴듯하게 넘기는 것은 아니다. 이 방법에는 커뮤니케이션의 진리가 담겨 있다. 그 진리란….

갑자기 말하니까 통하지 않는다는 것이다.

상대방에게 들을 준비를 시키는 것이 중요하다는 말이다. 영

어로 대화할 때 가장 중요한 말은 뭘까? 바로 'Hi'다. 그 말이 상대와의 커뮤니케이션을 여는 주문이다. 네이티브 스피커는 항상 'Hi!' 또는 'HeHo!' 다음에 상대의 이름을 부른다.

이번 장에서 소개한 세 가지 마법의 구절을 기억하고 있는가? 첫 번째 표현을 다시 살펴보자.

Hi, Paul. My name is Masanori. I came from Japan to attend this seminar. May I ask you a question? Would you be interested in promoting your products in Japan?

이 'Hi, Paul'이 있느냐 없느냐에 따라 대화는 크게 달라진다. **인사를 하는 건 '당신에게 말을 걸겠다'라는 신호이기 때문이다. 이 신호를 통해 서로 대화의 페이스를 맞추는 것이다.**

그러나 일본인은 'Hi, Paul'과 'May I ask you a question?'을 뛰어넘고 느닷없이 용건을 말한다. 그럼 느닷없이 사고를 중단당한 상대방은 당신을 방어하게 된다. 그리고 '응? 뭐야? 무슨 소린지 모르겠는데?' 하는 표정을 짓는다. 그 표정을 보고 당신은 '역시 내 영어는 통하지 않는구나…' 하고 겁을 먹는다. 당연히 그 뒤로는 어색한 대화가 이어진다.

그게 아니다. 그게 아니라 한 박자 쉬어야 한다.

느닷없이 본론에 들어가서는 안 된다. 서둘지 말고 한 박자 늦춰라. 그럼 서로 커뮤니케이션의 페이스를 맞출 수 있다. 이

처럼 서로 호흡을 맞춘 후에 용건을 말해야 한다. 그러면 대화가 전체적으로 편안하고 부드러워진다. 영어는 문법이 아닌 커뮤니케이션. 문법적으로 올바르게 말하는 데 정신을 빼앗기지 말고 커뮤니케이션의 본질을 파악하라.

14

영어가 솟아오르는 감각을 체험하라

앞 장에서 '관세' 단어를 떠올리다가 회의가 중단된 이야기를 했다(〈12. 최소한의 영어 실력으로 유창하게 말하는 방법〉 중에서). 그것이 바로 영어 활용에 첫걸음을 내디딘 사람이 처음으로 부딪히는 난관이다. 이 문제를 해결하면 유창하고 막힘없는 영어를 구사할 수 있다. 그러면 어떻게 해야 문제를 해결할 수 있을까?

대부분 사람은 단어 실력을 향상하면 된다고 생각한다. 하긴 관세, 'Tariff'라는 단어를 알았더라면 회의는 중단되지 않았을 것이다. 하지만 그보다 더 중요한 것은 중학생도 아는 단어로 바꿔서 말하는 '감각'이다.

한마디로 'Import tax'면 충분하다는 얘기다. 그럴 때는 일본어를 영어로 번역하지 말고 '영어로 생각'해야 한다. 아니, 일본어가 아닌 영어로 생각하라는 건 대체 무슨 뜻일까? 어떻게 해야 그렇게 될 수 있을까?

영어로 생각하는 게 어떤 것인지 체험하는 좋은 방법이 있다. 이제부터 알려주는 방법을 직접 해보면 '아, 영어로 생각한다는 건 이런 거구나!' 하는 감각을 파악할 수 있을 것이다. 그리고 영어로 대화하다 막혔을 때 그 감각을 떠올리면 다시 말이 흘러나오게 된다.

요령을 알려주겠다. 영어로 생각해서는 안 된다. 일본어로 생각해서도 안 된다.

이미지를 떠올려야 한다.

당신은 보통 일본어로 말할 때 일본어로 생각하는가?

"일본어로 생각하는데? 당연한 거 아니야?"

그렇다면 당신의 말을 속기법으로 적어보자. 의미도 알 수 없고 문법적으로 엉망진창일 것이다.

사실 우리는 언어로 생각하는 게 아니다. 말을 하기 전에 이미지를 떠올리는 것이다. 시각 이미지일 때도 있고, 청각 이미지일 때도 있다. '따뜻한 느낌, 어두운 느낌' 같은 감각 이미지일 때도 있다.

일본인의 70퍼센트는 시각 이미지로 정보를 처리한다고 한다. 입으로 말을 하기 전에 시각 이미지가 머릿속에 떠오르는 셈이다. 머릿속에 하고 싶은 말의 이미지가 떠오르면, 그것을 일본어로 옮기는 것이다. 예를 들어 아이가 오늘 학교에서 있었던 일을 이야기한다면, 아이는 말로 생각하는 것이 아니다. 오늘 있었던 일을 이미지로 떠올려서 그것을 말로 전하는 것이다.

영어로 막힘없이 말할 수 있는 비결은 바로 여기에 있다. **영어로 말할 때 막히는 이유는 이미지를 일본어로 바꾼 다음 다시 일본어를 영어로 바꾸기 때문이다. 이미지를 직접 영어로 바꾸면 된다.**

"뭐? 그럴 수만 있다면 이렇게 고생하지도 않지."

그럼 잠시 재미있는 놀이를 해보자. 예전 어느 카바레에 우연히 놀러 갔다가 한 소녀를 알게 되었다. 그녀는 영어 회화를 공부하고 있었다. 그런데도 거의 영어로 말을 하지 못했다. 그래서 나는 그녀에게 영어가 솟아오르는 감각을 익히기 위한 연습을 시켰다.

그럼 Let's give it try! (해보자!)

등을 편안하게 편 상태로 다리를 바닥에 대고 앉으십시오.

두 눈을 감고 심호흡을 하십시오. 마음을 편안하게 가라앉히세요.

그래요, 눈과 입가에 살짝 미소를 지어봅시다.

당신의 머릿속에 차츰 이미지가 떠오르기 시작합니다. 어떤 이미지라도 좋습니다. 이미지가 떠오르지 않으면, 지금까지 가본 곳 중에서 제일 아름다운 곳을 떠올려보세요. 그리고 그곳에 있는 자신을 상상해보세요.

어떤 이미지가 떠오릅니까? 당신의 머릿속에 떠오른 이미지를 영어 단어로 말해보십시오. 문장으로 말할 필요는 없습니다.

다음 단어는 그녀의 연습 결과다. 그녀가 어떤 이미지를 떠올렸는지 당신도 상상해보자.

Sea(바다)

Sunshine(햇살)

Dolphin(돌고래)

Coming(온다)

Beach(해변)

음, 숲이 영어로 뭐였더라?

다시 이미지를 떠올리며 아는 단어로 바꿔서 말해보세요.

A lot of tree(수많은 나무들)

자, 그녀가 어떤 이미지를 떠올렸는지 당신에게도 전해지지 않는가? 문법이고 뭐고 전혀 없다. 하지만 이미지는 전해진다. '최소한의 언어'로도 자신의 머릿속에 떠오른 이미지를 남에게 전할 수 있다.

중요한 건 말이 아니다. 어떤 이미지를 떠올리며 이야기하느냐가 중요하다. 이미지는 우뇌의 담당이다. 일본어를 영어로 바꾸려고 하면 분석적인 좌뇌가 우위를 차지한다. 그럼 우뇌와의 접속이 차단되어 이미지가 떠오르지 않는다. 이럴 때 말이 막혀서 중단되는 것이다.

말이 막히면 마음을 편안하게 가라앉히고 이미지에 집중해라. 그리고 머릿속에 떠오른 이미지를 아는 단어로 바꿔보자. 물론 관념적인 이야기를 할 때는 이 방법이 적용되지 않는다. 이 방법에서 배울 점은 '아, 영어가 솟아오른다는 건 이런 거구나'라는 감각이다.

그 감각을 한 번쯤 파악해두는 것이 좋다. 말이 막혔을 때 그 감각을 떠올리면 다시 대화를 이어나갈 수 있을 것이다. 그럼 그 감각을 몸에 익히고 필요할 때 떠올리는 기술을 알려주겠다.

15

영어 모드로 전환하는 스위치

어째서 '영어로 말하는 감각'을 익혀야 할까? 그 이유는 '일본어 뇌'로 돌아갈 것 같을 때 '영어 뇌'를 부활시키기 위해서다. 즉 뇌의 전환 스위치를 누르는 것이다.

영어를 활용하기 시작한 후 한 가지 난처한 점이 있었다. 컨디션이 좋을 때는 영어가 막힘없이 술술 흘러나왔지만, 만약 컨디션이 나빠지면 형편없는 영어가 튀어나오는 것이다. 한마디로 기복이 심했다고나 할까.

지금 생각해보면 그게 다 '일본어 뇌'의 스위치가 켜졌기 때문인 것 같다. 일본어 뇌로 영어를 말한 것이다. 그럴 때 '앵커링(Anchoring)'이라는 방법을 쓰면 영어 뇌의 스위치를 켜는 데

많은 도움이 된다.

앵커링이란 직역하면 '닻을 내린다'라는 뜻으로 감정과 신체를 연결시키는 작업을 말한다. 예를 들어 기쁠 때는 만세를 부른다. 그러면 '기쁘다'라는 감정과 '만세'라는 동작이 연결된다. 그럼 만세를 하면 기쁘다는 감각이 되살아난다. 즉 자신을 파블로프의 개처럼 길들이는 것이다.

예를 하나 더 들겠다. 자신이 최고로 집중해서 멋진 행동을 했을 때, 그때의 감정을 동작과 연결해 보자. 스모 선수가 배를 두드리는 동작도 앵커링의 일종이다. 배를 팡팡 두드린 순간 약하게 보였던 선수가 갑자기 투지를 불태우곤 하지 않는가

이렇게 앵커링은 심리학에 쓰이는 수법이지만, 영어에도 효과를 발휘한다.

간단하지만 매우 효과적인 테크닉이다. 속는 셈 치고 해보자.

영어를 유창하게 말하는 감각, 영어가 내부에서 솟아오르는 듯한 감각, 그런 자신감이 솟아올랐을 때 특정한 동작을 취해서 몸과 감각을 연결하는 것이다.

머릿속에 떠오른 이미지를 영어로 옮기는 연습에 성공했을 때 'Yes, I can speak English'라고 큰 소리로 말하며 오른손을 불끈 쥐어보자. 혹은 손가락을 딱 튕기는 것도 좋다. 그 동작을 몇 번 되풀이해보자. 예를 들어 테이프를 암기할 때 감정을

실어 연기하며 영어로 말해보자. 뭔가 그럴듯하게 된 것 같다 싶으면 그 감정을 몸과 연결하라.

'Yes, I can speak English!'라고 큰 소리로 말하며 오른손을 불끈 쥐어보자. 몸으로 익힌 감각은 언제든지 되살릴 수 있다. 영어가 막혔을 때 오른손을 불끈 쥐면 영어가 솟아오르는 감각을 떠올릴 수 있을 것이다.

당신은 이미 일본어 모드에서 영어 모드로 언제든지 자유롭게 전환할 수 있는 편리한 스위치를 갖고 있다.

16

식은땀을 흘린 끝에 익힌 편법

영어가 막혔을 때 극복하는 2가지 방법을 더 소개하겠다. 먼저 앵커링과 관련이 있는 '보디랭귀지' 활용이 있다. 자신의 동작을 살펴보면 어느 쪽 뇌의 스위치가 켜져 있는지 알 수 있다. 몸이 뻣뻣하게 굳어 있으면 일본어 모드, 손짓발짓이 켜져 있으면 영어 모드다.

영어가 잘 나오지 않을 때는 몸도 굳어 있는 경우가 많다. 그럴 때는 의식적으로 보디랭귀지를 사용해서 영어 뇌로 전환해야 한다. 영어가 잘 나오지 않는다 싶으면 손짓발짓을 크게 해보자. 일본인인 당신이 손짓 발짓을 크게 하려면 조금 부끄러울지도 모른다.

하지만 영어가 막혔을 때 일시적으로 보디랭귀지에 신경을 쓰면 다시 영어가 흘러나오기 시작한다. 내가 사용하는 또 하나의 테크닉은 '시선을 드는 것'이다. 영어뿐 아니라 뭔가 생각이 잘 나지 않을 때는 미간에 주름이 새겨진다. 그리고 시선은 아래로 향하는 경우가 많다.

사실 시선과 뇌는 긴밀한 관계를 맺고 있다. 시선의 방향에 따라 뇌의 어느 부분에 접속하느냐가 달라진다. 우뇌에 접속하기 위해서는 왼쪽 위를 보는 게 좋다. 그곳이 이미지를 보기 위한 눈의 위치이다. 그곳에서 본 이미지를 '언어화'하는 것이다. 이야기할 때는 시선을 본래 위치로 되돌려라.

영어가 잘 나오지 않을 때 나는 의식적으로 시선을 위로 향한다. 그리고 이미지를 떠올린다. 그러면 이상하게도 '말이 잘 안 나오네. 어쩌면 좋지'라는 긴장감이 사라지고, 다시 영어가 흘러나올 것이다. 난처할 때는 미간의 주름을 펴고 시선을 왼쪽 위로 올려보자. 생각지도 못했던 효과를 얻을 수 있을 것이다.

이상, 영어가 서툴어도 유창해 보이게 만드는 편법을 소개했다. 나는 어째서 이런 편법만 익힌 것일까? 돌이켜보면 나는 식은땀을 흘리면서도 식은땀이 보이지 않도록, 당황하면서도 당황하는 것처럼 보이지 않도록 노력해왔다. 그 과정에서 익힌 일종의 트릭(Trick)이다.

트릭에는 다양한 종류가 있다. 국제파 비즈니스맨이 되는 과정에서 당신도 나처럼 식은땀을 흘리게 될 것이다. 그때 이런 트릭들을 알고 있으면 두려움을 떨쳐버릴 수 있다. 편법 소개는 이쯤에서 끝내기로 하고 드디어 우리의 최종 목적지로 향할 때가 왔다.

지금까지 나는 계속 비즈니스를 강조했다. 그러나 사실 비즈니스는 수단에 불과하다. 이 앞에 영어를 배우는 진정한 묘미가 있다. 비즈니스의 끝에 있는 것. 그건 무엇일까?

Chapter 6
미래로의 귀환

돈과 영어의
비상식적인
관계

비상식적인 영어 활용법 스텝 5

01

새로운 인간관계 구축
: 전 세계 사람들과 평생 친구가 돼라

오래전에 〈전장의 크리스마스〉라는 영화를 본 적이 있다. 오시마 나기사(Oshima Nagisa) 감독의 1983년 영화로 일본, 영국, 오스트레일리아, 뉴질랜드의 합작 영화다. 당시 비토 타케시(Bito Takeshi, 현재 '기타노 타케시')가 출연해 화제가 되기도 한 작품이다.

이 〈전장의 크리스마스〉에는 굉장히 인상적인 에피소드가 있다. 영화의 한 장면을 말하는 것이 아니다. 내게 깊은 인상을 남긴 것은 TV에서 방영해준 로케이션 현장(오스트레일리아 로케이션)에서 비토 타케시가 보인 언행이었다.

합작 영화이니 외국인 스태프가 많은 영화였는데 비토 타케시의 주변에는 항상 외국인 스태프들이 모여 있었다. 게다가 웃음소리가 끊이지 않았다. 비토 타케시가 우스꽝스럽게 고개를 까딱거리며 말할 때마다 그들은 웃음을 터뜨렸다. 무척 유쾌한 분위기였다.

놀라운 건 비토 타케시는 영어가 아닌 일본어로 말하고 있었다. 그런데도 서로 어깨를 두드리며 웃을 만큼 커뮤니케이션이 성립되는 것이었다.

"영어를 못하면 외국인과 친해질 수 없다."

그게 보통 사람들의 생각이다. 비토 타케시는 이런 '착각'을 멋지게 부숴버렸다.

커뮤니케이션의 본질은 어학 실력이 아니다.

영어 실력과는 관계없이 전 세계 사람들과 '평생 친구'가 되는 것.

오랫동안 침을 튀겨가며 이야기해왔지만, 실은 이것이 이 책의 최종 목적이다.

해외 비즈니스를 함으로써 얻는 이득, 즉 돈도 벌 수 있다. 그러나 그것이 전부가 아니다. 해외 비즈니스를 통해 다른 문화를 이해하게 된다. 다른 사람들과 마음을 주고받는다. 그 결과 사람과 사람이 연결되어 간다.

당신은 이 책을 읽고 여행을 향해 첫발을 내디뎠다. 그리고 당신이 마지막으로 돌아올 곳은 우정이 넘치는 새로운 현실

이다.

그래서 영어를, 외국어를 배우는 것이다.

그럼 냉철한 비즈니스 세계에서 어떻게 하면 인간적인 마음의 교류를 할 수 있을까? 다른 언어, 다른 인종, 다른 문화, 다른 종교 등, 온통 다른 것뿐인 그들과 어떻게 해야 그 차이를 넘어 '평생 친구'가 될 수 있을까? 영어를 못해도 좋다. 영어가 서툴러도 상관없다. 먼저 상대방에게 신뢰받는 방법을 배워야 한다.

내게는 많은 외국인 친구가 있다. 아무리 까다로워 보이는 사람과도 신뢰 관계를 쌓는 방법을 알기 때문이다. 영어 실력이 부족해도 짧은 시간에 마음을 통하게 만드는 방법, 허물없이 대화하는 방법, 최소한의 영어 실력으로 우정을 싹트게 만드는 세 가지 커뮤니케이션 방법을 소개하겠다.

02

불편한 사람과 30초 만에 마음을 터놓는 방법

인간에게는 '선입관(先入觀, 고정관념이나 견해)'이 있다.

"이 사람은 까다로워 보인다."

"이 사람과는 마음이 안 맞을 것 같다."

이런 식으로 서로를 알기도 전에 먼저 벽을 쌓는다. 특히 외국인은 눈 색깔 등 외모가 다르고, 언어나 종교, 습관 등 모든 것이 달라 보인다. 그 차이는 점점 확대되어 두려움으로 변한다.

두려움을 품은 순간 인간은 창조력을 잃는다. 자신의 말을 전할 수 없게 된다. 그 결과, 영어가 어색해진다. 또 인간관계가 어색해진다. 그래서는 비즈니스가 성사될 리 없다. 설령 성

사된다 해도 불신감 속에서 서로 속고 속이는 관계로 끝날 뿐이다. 단명하는 비즈니스의 전형적인 패턴이다.

어떻게 해야 이런 상황을 피할 수 있을까? 첫 단추를 똑바로 채워야 한다. 그렇게 하면 비즈니스를 위한 만남은 모두 가슴 떨리는 체험으로 변한다.

그럼 단추를 똑바로 채우는 방법을 알려주겠다. 굉장히 간단한 방법이다. 그러나 효과는 즉각 나타난다. 시도해본 순간 상대방에 대한 불편한 마음은 눈 녹듯이 사라질 것이다.

상상해보자. 당신의 눈앞에 상대하기 불편한 사람이 있다. 게다가 오늘 처음 만났다. 무슨 얘기를 해야 할지 모르겠고, 상대방의 이야기에 귀를 기울여도 왠지 마음이 불편하다.

30초 만에 그런 불편한 마음을 없애보자.

먼저 상대를 마주 보며 눈을 멍하니 바라본다. 눈을 응시하는 것이 아니라 그림을 감상하듯 부드럽게.

그러면 상대방의 얼굴뿐 아니라 몸 주위도 시야에 들어올 것이다.

그 상태를 유지하며 마음속으로 메시지를 보내라.

나를 따라서 상대에게 다음과 같이 말해보라. 정말로 말을 할 필요는 없다. 마음속으로만 감정을 담아 상대에게 메시지를 전하라.

한마디를 건넬 때마다 잠시 시간을 두고 상대방의 표정을 확인해라.

그럼 천천히 시작해보자.

I see your kindness(나는 당신의 상냥함을 느낍니다).

I see your fierceness(나는 당신의 강함을 느낍니다).

I see your wisdom(나는 당신의 지혜를 느낍니다).

I see your love(나는 당신의 사랑을 느낍니다).

그리고 마지막으로…

I see you(나는 당신을 느낍니다).

자, 어떤가? 이 메시지를 전하기 전과 후로 어떤 차이가 있는가? 두 사람이 한 조가 되어 직접 시험해보자. 마주 선 상태에서 등을 가볍게 뻗고, 서로에게 마음속으로 메시지를 전해보자.

먼저 가장 가까운 사람에게 해보자. 존경하는 부모님, 싸워서 냉전 중인 연인, 당신을 꾸중하는 상사. 자신감을 잃은 동료. 옆집 아저씨와 아줌마에게 해보자.

길을 가는 사람들에게 해보자. 신문 배달부 학생, 연극에 몰두하는 배우, 열심히 일하는 비즈니스맨, 액세서리를 만드는 아티스트, 공원에서 기타를 연주하는 뮤지션, 개와 산책하는 아저씨, 갓 태어난 아이에게 해보자.

씩씩하게 달리는 개에게도 해보자. 하늘을 날아다니는 새, 술에 취해 토하는 아저씨, 길거리에서 자는 노숙자, 꽃을 피우는 나무들, 메마른 낙엽에 해보자.

당신에게 쏟아지는 태양에 해보자. 당신을 비추는 달, 당신을 지켜주는 별들, 우리를 둘러싼 공기. 우리를 지탱해주는 대지에 해보자. 그리고 자기 자신에게 해보자.

결과는 쓰지 않겠다. 당신이 직접 느껴보기를 바란다. 왜 30초 만에 세상이 달라지는 것일까? 당신도 이제 알게 될 것이다.

03

15분 만에 절친한 친구가 되는 방법

당신은 지구의 반대편 일본에서 출장 온 손님이다. 비즈니스가 진행되면 상대 회사에서 당신을 저녁 식사에 초대할 것이다. 상대는 부부 동반, 일 얘기는 꺼내지 않는 게 원칙이다. 비즈니스와는 상관없이 재치 넘치는 대화와 농담을 주고받는다.

하지만 거의 알아들을 수가 없다. 애초에 일 얘기 말고는 '공통 화제'가 없지 않은가. 다른 사람 얘기? 둘 다 아는 사람이 없다. 정치 얘기는 어렵다. 종교 얘기는 분위기에 안 맞는다. TV 프로그램도 모른다. 음악과 스포츠는 최신 정보에 어둡다.

그야말로 사면초가(四面楚歌)다. 그렇다고 이 자리에서 빠질 수도 없다. 앞으로 몇 시간이나 더 이렇게 앉아 있어야 하는 걸까? 몇 번이나 손목시계를 쳐다보지만, 좀체 시간이 가지 않는다. 게다가 시차 때문에 눈꺼풀이 납덩이처럼 무겁다.

그런데 이런 극한 상황에서도 평정을 유지하는 사람이 있다. 편안하고 느긋해 보여서 주위 사람들도 괜한 신경을 쓸 필요가 없다. 어디까지나 편안한 식사와 대화가 자연스럽게 진행된다. 이 사람은 결코 말수가 많은 것은 아니다. 차분하고 부드러운 미소가 인상적이다.

그는 처음 만난 사이에다가 거의 말도 하지 않았는데도 식사가 끝날 무렵에는 누구나 그 사람에게 호의를 품는다. 마지막에는 모두 포옹한다. 서로가 연결되는 순간을 이 사람은 마음껏 즐기고 있다.

이렇게 처음 만난 외국인으로부터 존경과 신뢰를 받는 그 사람은 누구일까?

그 사람은 15분 후의 당신이다.

이제부터 약간의 지식을 전수하겠다. 지식은 힘이다. 올바르게 사용하면 당신의 주위는 기적으로 가득할 것이다.

도대체 어떤 대화를 나누면 단시간에 신뢰로 가득 찬 인간관계를 쌓을 수 있을까?

예를 들겠다.

상대방의 이름은 데이브라고 가정하자. 그는 지금까지 일본인과 접해본 적이 없는 재무 담당 부사장이다. 굉장히 고지식하고 일본과 거래하는 것을 탐탁잖게 여기고 있다. 이 까다로운 데이브와 당신이 신뢰 관계를 쌓을 때까지 필요한 시간은 15분. 그리고 필요한 영어도 한정되어 있다.

어떤 대화를 나누면 좋을까? 타임머신을 타고 함께 과거로 여행을 떠나라. 구체적으로는 상대방이 여섯 살 때부터 아홉 살 때까지, 즉 어린 시절에 어떤 가정에서 자랐는지 이야기를 듣는 것이다. 지금 뭘 잘못 들은 것 같다고? 아니다. 상대방이 여섯 살 때부터 아홉 살 때까지, 어떤 가정에서 자랐는지 이야기를 들어라. 그러면 단 15분 만에 인간관계는 전혀 다른 수준으로 발전한다.

정말이다. 이제부터 그 이유를 구체적으로 설명하겠다. 다음 5가지 단계로 대화를 진행해 나가자.

[제1 단계] 감사와 기쁨을 전한다

상대방의 눈을 응시하며 말을 건네라.

Thank you very much for inviting me this wonderful dinner. I am very happy to see you tonight, Dave.

(멋진 저녁 식사에 초대해주셔서 정말 감사합니다. 오늘 밤 만나서 정말 기쁩니다, 데이브.)

[제2 단계] 최근의 일과 흥미 있는 분야에 대해 묻는다

그의 몸 전체를 부드럽게 바라보며 첫 질문을 던져라.

When did you join company, Dave?

(언제 회사에 입사하셨습니까, 데이브?)

부인에게는

When did you marry Dave?

(언제 데이브와 결혼하셨습니까?)

또는

When was the first time you met Dave?

(데이브와는 언제 처음 만나셨습니까?)

[제3 단계] 제2 단계에서 던진 질문의 대답에 주의하라

예를 들어 데이브가 이렇게 대답했다고 가정해보자.

"3년 전입니다. 전에는 큰 컴퓨터 회사에서 일했죠. 이 회사에는 헤드헌팅으로 왔습니다. 지금은 회사가 작아서 재무뿐만 아니라 세무와 시스템 구축까지 전부 제가 떠맡고 있습니다."

데이브는 모국어가 영어라는 사실도 잊고 빠른 속도로 이렇게 떠들어댈지도 모른다. 어쩌면 당신은 그의 말을 반도 못 알아들을 것이다.

하지만 괜찮다. 사람들은 대부분 남의 이야기를 듣지 않으니까. 대개 사람들은 남이 이야기하는 동안 자신이 할 이야기를 생각하고 있다. 노래방에 갔을 때와 비슷하다.

사실 당신이 들어야 할 부분은 하나밖에 없다. '전에는 큰 컴퓨터 회사에서 일했다'라는 부분이다. 이 부분만 알아들으면 대화는 이어진다. 왜냐, 다음 질문에 가장 적합한 힌트이기 때문이다.

다음에는 이런 질문을 던져보자.

[제4 단계] 대답에 대한 질문을 한다

What did you do in your last company?

(전 회사에는 무슨 일을 하셨습니까?)

이것이 다음에 던져야 할 질문이다. 신뢰 관계를 쌓기에 이보다 더 좋은 질문은 없다. 꼭 똑같은 질문을 하라는 것이 아니다. **포인트는 타임머신을 타고 조금씩 과거로 돌아가는 것이다.**

대답 첫머리에는 질문과 직접 관련은 없지만, 그보다 조금 전의 이야기를 꺼내는 경우가 많다. 그다음에 던질 질문의 키워드는 '전 회사'라는 것만 알아두면 된다. 과거로 돌아가야 하기 때문이다. 그렇게 조금씩 과거로 돌아가서 어린 시절 이야기를 들어야 하기 때문이다.

물론 학창 시절 얘기를 꺼내면, 그 시절에 관한 질문을 던져

야 한다. 그럴 때 다음 질문은 ,

What did you study when you were in university?

(대학에서는 무슨 과목을 전공하셨습니까?)

만약 '수학'이라고 대답했다면 다음 질문은 ,

When did you start to be interested in numbers?

(언제부터 수학에 흥미를 갖게 됐습니까?)

이런 식으로, 점점 과거로 거슬러 올라가면 상대의 어린 시절 이야기가 나오게 된다. 그럼 다음 단계로 이동해보자.

[제5 단계] 6살~9살 때까지, 어떤 가정에서 자랐는지 묻는다

상대를 진지하게 알고 싶다고 생각하며 '성장 과정'을 물어보라. 질문은 ,

What was your family like when you were a child?

(당신의 어린 시절에 가족들은 어땠습니까?)

사람들은 '성장 과정'에 대한 이야기를 하면 급속도로 가까워진다. 어린 시절을 물어봐 주는 사람은 거의 없기 때문이다. 당신의 아내(또는 남편)가 어린 시절에 부모님과 어떻게 지냈는지 당신은 얼마나 알고 있나? 모른다면 이 책을 읽은 후에 꼭 물어보길 바란다. 함께 살면서도 몰랐던 부분을 알게 되고, 애정도 더욱 깊어질 것이다.

그럼 왜 하필 여섯 살부터 아홉 살 때까지일까? 그 무렵에 현재 의식이 뚜렷해지기 때문이다. 본래 유년 시절의 체험은 인격 형성의 밑바탕이라고 할 수 있다. 그것을 진지하게 알고 싶어하는 사람, 물어봐 주는 사람이 있다는 건 매우 기쁜 일이다.

마침내 데이브는 자신의 어린 시절 이야기를 시작한다.

"우리 집은 굉장히 가난했습니다. 형제가 많았거든요. 여섯 명이나 됐죠. 전 막내였습니다. 간식은 늘 콩이었는데 형제들끼리 나눠 먹곤 했지요. 그 콩알 수를 세는 것이 제 일이었습니다. 그래서 어렸을 때부터 숫자에는 자신이 있었죠."

함께 식사하던 동료 부부들은 폭소를 터트린다. 재무부의 데이브가 어렸을 때부터 콩을 세었다는 에피소드는 처음 듣는 얘기다. 화기애애한 분위기가 감돈다. 이제 서로 마음을 완전히 터놓은 상태다. 물론 그 자리에는 또 한 명의 주역이 있다. 바로 질문을 던진 당신이다.

"그는 소년 시절을 그렇게 보냈구나. 그게 지금 비즈니스에 이렇게 도움이 되었구나."

당신은 상대의 인격은 물론 인격 형성의 근원까지 이해할 수 있다. 상대와 자신이 근본적으로 연결된다. 이야기가 끝나고 나면 도저히 처음 만난 사람처럼 느껴지지 않는다. 마치 소꿉친구와 재회한 듯한 그리움에 감싸인다.

상대의 '성장 과정'을 듣는 것은 이만큼이나 효과적인 일이다. 단 갑자기 어린 시절을 물어서는 안 된다. 모든 일에는 순서가 있는 법이다. 현재와 가까운 시점부터 시작해서 차츰 과거로 거슬러 올라가야 한다. 상대를 '타임머신'에 태우는 것이다.

물론 상대가 건드리기를 원하지 않는 과거가 있을 때도 있다. 그런 과거를 건드렸다면 더는 과거를 묻지 말아야 한다. 과거의 상처를 건드릴 위험이 있기 때문이다.

만약 과거를 건드렸다면 질문은,

What did you enjoy most when you were a child?

(어렸을 때 제일 즐거웠던 일은 뭡니까?)

이런 질문을 해서 재빨리 분위기를 밝게 바꾸자. 어린 시절의 즐거운 추억은 누구나 간직하고 있기 마련이다.

어린 시절의 이야기를 하는 것은 단순한 테크닉이 아니다. 진지하게 상대방을 알고 싶어하는 당신의 마음, 그 마음이 다른 언어와 다른 문화에서 자란 두 사람의 벽을 허물어줄 것이다.

04

영어가 서툴러도 막힘없이 대화를 이어가는 방법

비즈니스를 통해 영어로 대화를 나눌 기회가 많아졌다. 지금은 비즈니스 파트너와 함께 점심을 먹는 중이다. 그런데 무슨 얘기를 해야 할지 도통 생각이 나지 않는다. 뭔가 말을 해야 할 텐데 도저히 영어가 나오지 않는다. 어색한 침묵이 흐른다.

할 수 없이 지금 먹고 있는 튀김 얘기를 하려던 순간, 단어가 떠오르지 않는다. '오징어가 영어로 뭐였더라? 붕장어는? 광어는? 은행은?' 단어가 전혀 떠오르지 않는다.

"아아, 튀김집에 오는 게 아니었어. 어떻게든 대화를 이어갈 방법은 없을까."

좋다, 내가 가르쳐주겠다. 무엇을 숨기랴. 나도 붕장어가 영어로 뭔지 모른다. 하지만 '장어'는 안다. 장어는 'eel'이다. 그러니까 붕장어는 'a kind of eel(장어의 일종)'이다. 광어는 흰살 생선이니까 'white fish', 은행은 콩 종류니까 'beans'라고 하면 된다.

왜? 불만 있나? 아차, 애꿎은 독자들에게 시비를 걸 때가 아니지. 어쨌든 나는 이 정도로 단어 실력이 없다. 그래도 대화는 이어간다. 후후후. 튀김집에서 재료 얘기만 피하면 내 영어는 외국인 수준으로 들린다. 어차피 주위의 일본인들은 영어를 모른다. 대화가 끊어지지만 않으면 내 영어가 형편없다는 사실을 눈치챌 사람은 아무도 없다.

영어가 서툴러도 유창하게 들리는 비결. 문법이 틀리든, 단어 실력이 부족하든 유창하게 들리는 비결. 그것은 바로 '대화의 본질'을 파악하는 것이다. 그럼 커뮤니케이션을 성공적으로 이끄는 마법의 방정식을 가르쳐주겠다.

원활한 커뮤니케이션은 자신의 주장을 유창한 영어로 바꾸는 것도, 문법적으로 맞게 이야기하는 것도 아니다. 미국 CNN의 명캐스터이자 '인터뷰의 달인'으로 불리는 래리 킹(Larry King)은 거의 말을 하지 않는다. 하지만 어떤 게스트도 진심을 털어놓게 만든다. 게다가 누구라도 래리 킹과 인터뷰하면 영웅이 된다. 어째서일까? 그는 상대의 빛나는 부분을 끌어내는 능

력이 있기 때문이다.

결국 커뮤니케이션의 본질은 '댄스'다. 대화는 음악처럼 이끌어나가야 한다. 그 방법을 익히면 영어 회화에 자신감이 생길 것이다. 아니, 꼭 영어뿐만이 아니다. 커뮤니케이션에 자신감이 생길 것이다.

커뮤니케이션은 다음 4단계로 전개된다. 음악 용어를 통해 설명하겠다.

1. 토닉(Tonic) / 으뜸음	흥미를 갖고 질문한다.
2. 서브도미넌트(Subdominant) / 버금딸림음	상대가 대답하면 이유를 묻는다.
3. 도미넌트(Dominant) / 딸림음	다른 시점을 제공한다.
4. 토닉(Tonic) / 으뜸음	상대와 자신의 의견을 통합한다.

대화는 이 4단계의 반복이다. '토닉, 서브도미넌트, 도미넌트, 토닉'은 가장 단순한 음악의 3 코드 진행이다. 쉽게 설명하면 먼저 '도(C)'로 시작을 알리고, '파(F)'로 주조음을 발전시키며, '솔(G)'로 긴장감을 높인 후, 다시 '도(C)'로 돌아와서 안정을 찾는다.

이렇게 한 바퀴 순환하면, 두 사람은 대화에서 좀 더 깊은 깨달음을 얻게 된다. 이 과정은 마치 나선을 그리며 학습해가는 '성장 과정'과 같다. 다시 말해서 서로가 커뮤니케이션에서 최대한 많은 배움을 얻으려면, 이 4단계에 따라 대화를 진행하면 되는 것이다.

그렇다면 구체적으로 어떻게 하면 좋을까? 네 단계의 첫마디에 사용되는 중요한 표현을 알아보자. 왜 첫마디가 중요한지 이제는 당신도 알고 있을 것이다. 첫걸음만 내디디면 두 번째 걸음은 간단하다고 지금껏 누누이 강조했으니까 말이다.

제1 단계는 '화제의 중심'이 될 질문을 던진다.

대표적인 질문은 다음과 같다.

Would you tell me about…

(…에 대해서 가르쳐주시겠습니까?)

비슷한 표현은,

Will you let me know…

(…에 대해서 가르쳐주지 않을래?)

Could you briefly explain about…

(…에 대해 간단히 설명해 주시겠습니까?)

I would like to hear about…

(…에 대해서 알고 싶습니다)

등, 표현은 조금씩 달라도 의미는 같다.

한마디로 상대방에게 이제부터 화제의 중심이 될 질문을 던지는 것이다. 표현을 일일이 외우는 것보다는 '대화의 의도'를 알아두는 편이 훨씬 간단하고 효과적이다.

제2 단계는 '확인 작업'이다. 상대방의 대답을 정확히 이해하기 위해 확인하거나 더욱 깊이 이해하기 위한 질문을 던진다.

확인하기 위한 표현은 이렇다.

So, the important thing is…

(그럼 중요한 것은 …군요)

비슷한 표현은,

So, the important point is…

(그럼 중요한 점은 …군요)

So, what you are saying is…

(그럼 당신의 말은 …군요)

So, your opinion is…

(그럼 당신의 의견은 …군요)

So, basically it means that…

(그럼 기본적으로 …라는 뜻이군요)

등, 더욱 깊게 이해하기 위한 질문이다.

What does that mean? / What do you mean?

(그건 무슨 뜻입니까?)

전부 '중학생 수준의 영어'다. 아주 심플하다.

하지만 매우 중요하다.

제3단계는 '서로의 이해'를 한 단계 높이는 과정이다. 상대방의 의견에 다른 시점을 제공하거나 동조하는 것이다.

다른 시점을 제공하는 표현은 이렇다.

Well, I think that…

(음, 제 생각에는…)

간단하지만 만능 표현이다. 대부분의 대화는 이거면 끝이다.

그 밖의 표현은,

Well, in my opinion…

(음, 제 의견은…)

Well, I have a different idea…

(음, 제 의견은 좀 다릅니다만…)

등, 동조할 때는 〈Chapter 2〉에서 설명한 '맞장구 표현'을 되풀이하면 된다. 또는 이렇게 말하며 자신의 경험을 상대에게 이야기하면 된다.

Well, I had a similar experience…

(음, 저도 비슷한 경험을 한 적이 있습니다)

제4단계에서는 서로의 의견을 종합하여 결론을 내린다.

첫마디는 간단하다.

So, it means that…

(그럼 그 의미는…)

So, what we are saying is…

(그럼 우리가 말하고 있는 것은…)

So, what we have to do now is…

(그럼 우리가 지금 해야 할 일은…)

등, 이것으로 커뮤니케이션은 일단락하고 이제 '나선'으로 들어간다. 즉 지금까지 나눴던 이야기와 관련은 있지만, 새로운 각도에서 대화를 발전시켜 나가는 것이다.

대화란 서로를 이해하기 위한 댄스다. 그렇게 생각하면 중학생 수준의 영어로도 아무 지장 없이 간단하게 대화를 이어갈 수 있다. 물론 좀 더 어려운 단어를 써서 표현할 수도 있다. 그러나 어려운 표현을 써봤자 중학교에서 배운 표현을 쓰는 것과 아무런 차이도 없다.

그러니까 어려운 표현을 배우기 전에 커뮤니케이션의 기본 진행 패턴을 익히도록 해라. 이 패턴을 익히면 당신의 영어 활용 능력은 비약적으로 향상된다. 그러면 대화는 기분 좋은 음악

이 되어 흐를 것이다.

만약 상대와 속도를 맞추지 않고 일방적으로 떠들어대면 파장이 어긋나게 된다. 잊지 말자. 대화는 댄스다. 혼자서는 출 수 없다. 둘이 함께 댄스를 춘다는 건 서로 힘을 합치고, 서로에게 배우는 것이다. 서로 다른 지식이 결합하여 새로운 아이디어가 탄생한다. 그 아이디어가 세상을 보다 살기 좋게 바꾸어 나간다.

다양한 외국인과 연결되고, 다른 문화와 다른 사상을 이해하게 된다. 더욱 넓은 시야를 가지고 자신의 편협함을 극복하게 된다. 이것이 비즈니스를 통해 얻을 수 있는 것들이다. 상대방의 다른 점을 인정하고, 자신의 다른 점을 인정받았을 때 비로소 자신의 훌륭함을 깨닫게 되는 법이다.

외국을 이해해야만 비로소 일본의 훌륭함을 깨달을 수 있다. 세계에 자랑할 만한 일본의 문화. 그 문화를 널리 알리고 싶은 강한 충동을 억누를 수 없게 된다. 지금까지 일본은 '영어는 어렵다'라는 생각으로 '정보 쇄국 상태'에 놓여 있었다. 그러나 좁은 틀 안에서 움츠리고 있어야 할 시대는 지났다.

이제 행동에 나서야 할 시대가 코앞으로 다가와 있다. 우리는 일본의 전통과 독자성을 정당하게 평가하고, 일본의 역사도 정당하게 평가해야 한다. 그리고 그것을 세계에 적극적으로 알려야 한다. 그 예로 일본의 전통 중 하나인 '화합'을 들 수 있다.

지금 세계는 테러리즘과 종교 분쟁, 그리고 계급 간의 투쟁이 끊이지 않는다. 서로 다른 점을 보면 싸움이 일어나지만, 공통점을 보면 우정이 피어날 것이다. 살육과 평화의 경계선은 우리 마음속에 있다.

따라서 '화합'의 마음을 세계에 전하는 것, 그것이 바로 일본의 역할이라고 나는 진심으로 생각한다. 언제부터 그 일에 착수해야 할까?

괴테(J. W. von Goethe)의 말을 빌려 대답하겠다.

당신은 진심인가? 그럼 이 순간을 놓치지 말라!

할 수 있는 일을, 또는 하고 싶은 일을 지금 당장 시작하라.

대담함에는 비범한 힘과 마력이 깃든다.

그저 몰두해라. 그러면 마음이 뜨거워진다.

지금 당장 시작하라! 그러면 목표를 달성할 수 있다.

부록

간다 마사노리의 정보 소스

돈과 영어의
비상식적인
관계

01

해외 잡지와 신문에서 힌트를 얻는다

'CHAPTER 4'에서 원서를 읽으라고 추천했지만, 굳이 서적만 읽을 필요는 없다. 잡지도 훌륭한 원서다. 놓쳐서는 안 된다. 자신이 관심 있는 분야의 잡지를 읽으면 된다. 물론 잡지도 구석구석 읽을 필요는 없다. 대충 훑어보기만 하면 된다. 페이지를 넘기기만 해도 많은 정보가 눈에 들어온다. 마음에 드는 기사의 제목만 읽거나 사진, 일러스트, 도표만 봐도 효과적이다.

그리고 잊어서는 안 될 것이 바로 '광고'다.

미국은 '광고 사회'이기도 하다. 잡지 광고는 그 전형적인 예다. 컬러풀한 사진과 참신한 디자인, 그리고 눈이 번쩍 뜨이는 아이디어가 담긴 잡지 광고를 보기만 해도 현재의 미국을 알 수 있다. '어떤 비즈니스가 유행하고 있는지, 어떤 연예인이 인기가 많은지' 등을 한눈에 알 수 있다. '최첨단 정보'를 얻을 수 있는 것이다. 게다가 광고는 손님을, 즉 '장사할 사람'을 찾고 있다. 자료 청구는 물론 해외 거래 코너까지 마련되어 있다.

나 역시 한때 잡지 광고에 푹 빠졌었다. 어떤 프랜차이즈 비즈니스는 자료를 요청했더니 팸플릿과 비디오를 보내주기도 했다. 그러면 나는 광고를 보며 '아, 이건 분명히 성공할 거야. 이건 안 되겠군'하고 쓸모 있는 정보인지 체크하곤 했다. 이렇게 잡지 광고를 통해 비즈니스 공부까지 할 수 있는 것이다. 솔직히 오직 광고를 체크하기 위해 잡지를 읽었다 해도 좋을 정도다.

광고를 통해 미국의 비즈니스를 파악하는 것은 매우 현명한 방법이다. 노력도 시간도 상당히 절감된다. 게다가 공짜다. 해외의 잡지와 신문은 비즈니스 힌트가 가득 담긴 보물 창고. 그러나 아쉽게도 가까운 책방에서는 구할 수 없다. 어떻게 하면 해외의 잡지와 신문을 구매할 수 있을까? 몇 가지 방법을 추천하겠다.

(1) 온라인 서점을 이용한다

키노쿠니야 온라인 서점(Kinokuniya BookWeb)의 해외 잡지

코너에서 약 40종류의 장르를 취급하고 있다. 유명한 잡지는 대부분 구매할 수 있으며, 특히 과월호나 최근호 등 흥미 있는 호만 구매할 때 편리하다.

▸ https://www.kinokuniya.co.jp

(2) 정기구독 신청 엽서를 보낸다

미국의 잡지는 정기구독(Subscription)으로 구매하는 게 일반적이다. 정기구독을 하면 거의 모든 잡지를 권당 반액 이하의 가격에 구매할 수 있다. 보통 잡지 속에 정기구독 신청 엽서가 들어 있다. 대부분 해외에도 발송해주며 직접 엽서를 보내 신청하면 된다. 잡지에 따라 인터넷으로 구독 신청을 받는 경우도 많다. 훌륭한 정보를 싼값에 손에 넣을 기회다. 꼭 도전하기를 바란다.

그럼 대표적인 비즈니스 잡지를 소개하겠다.

〈비즈니스 위크(Business Week)〉, 연간 51회 발행

세계에서 가장 널리 읽히는 비즈니스 잡지다. 트렌드와 마켓의 동향, 최신 M&A 정보 등 최첨단 정보가 가득하다. 매 호에 시기적절하고 상세한 리포트가 실려 있으며, 테마는 테크놀러지, 리더십, 금융, 경영 전략 등 매우 다채롭다.

〈안트러프러너(Entrepreneur)〉, 연간 12회 발행

'중소기업 전문'은 이 잡지를 꼽을 만큼 대중적인 비즈니스 잡지다. 성공한 창업가의 비결, 창업과 비즈니스의 트렌드, 세일즈 및 마케팅에 관한 힌트가 많이 수록되어 있다. 이 잡지를 비롯하여 중소기업 관련 잡지의 광고는 '보물 창고'나 마찬가지다. 일본에는 아직 알려지지 않은 비즈니스 콘셉트를 발견할 수 있다. 특히 빈번하게 실리는 광고에 주목하라. 매번 광고비를 지급할 만큼 수익을 올린다는 뜻이니까.

〈패스트 컴퍼니(Fast Company)〉, 연간 17회 발행

빠른 정보와 솔직한 기사로 정평이 난 비즈니스 잡지다. '일과 생활에 관한 사고방식'을 바꿔준다. 새로운 경제 정세에 따라 비즈니스를 성공시키기 위한 필수 정보가 가득 담겨 있다.

〈홈 비즈니스(Home Business)〉, 연간 6회 발행

재택 비즈니스 선택법과 운영법 등 구체적인 노하우가 가득 담겨 있다. 비즈니스 찬스, 경영, 세일즈, SOHO(소규모 업무), 프랜차이즈, 금융 정보, 인터넷 마케팅 등 폭넓은 장르를 다루고 있다.

〈주식회사(Inc.)〉, 연간 18회 발행

중소기업의 경영에 필요한 '실용적인 조언'이 듬뿍 담겨 있다. 금융, 마케팅, 경영뿐만 아니라 비즈니스 전반과 테크놀러지에 관한 새로운 해석도 제공한다.

〈매니징 피플 엣 워크(Managing People at Work)〉, 연간 12회 발행

매니저로 성공하려면 반드시 알아야 할 비결, 즉 스태프의 능력을 끌어내고 매니저로서 주가를 높이는 노하우를 중점적으로 다루고 있다. 인사 채용, 스태프 간의 충돌, 최고의 퍼포먼스를 끌어내어 지속적인 향상을 꾀하려면 어떻게 해야 하는가 등, 실질적인 문제들에 대한 해답을 제시한다.

〈셀링 파워(Selling Power)〉, 연간 9회 발행

잡지명만 봐도 알 수 있듯이 '세일즈 프로'를 꿈꾸는 사람들을 위한 잡지다. 최소한의 시간과 예산 들이기, 효율적으로 팀을 훈련⊠교육하기, 동기부여를 유지하기 등 세일즈 매니저가 안고 있는 각종 문제에 대한 해답을 제시한다. 세일즈 업계의 최첨단 정보를 얻고 싶거나 빅세일즈를 손에 넣고 싶은 사람에게 추천한다.

〈더 이코노미스트(The Economist)〉, 연간 51회 발행

미국의 비즈니스 리더들이 이 잡지를 읽는 것은 글로벌 시점에서 본 세계 시장의 동향을 알기 위해서다. 미국 국내는 물론 해외 비즈니스, 금융, 시사, 과학과 테크놀러지, 예술에 이르기까지 폭넓은 지식을 얻고 싶은 사람에게 추천한다.

〈워킹 스마터 온 디 인터넷(Working Smarter on the Internet)〉, 연간 26회 발행

인터넷을 이용하여 매상을 올리기 위한 힌트가 가득 담겨 있다. 심플한 일 처리와 기술을 갈고닦기 위해서 실용적이고, 실천적인 아이디어와 문답(Q&A), 자기진단 체크 등이 볼 만하다.

이상이 대표적인 잡지들이다. 나는 전부 읽고 있냐고? 대답은 NO. 그런 귀찮은 짓을 할 리가 없지 않은가. 나는 게으름뱅이다. 여기 소개한 잡지들은 전에 읽어본 적이 있는 정도다. 그러나 변명하려는 건 아니지만, 읽은 적이 있는 것과 없는 것은 엄청난 차이다.

몇 권을 대충 훑어보기만 해도 그 가치는 천금과도 같다.

***잡지의 구독자층은 어떤 기사에 흥미를 갖고 있는가?**

(크게 다루는 기사의 제목을 보면 알 수 있다)?

***어떤 상품이 잘 팔리는가?**

(빈번하게 실리는 광고를 보면 알 수 있다)

***어떤 구조로 수익을 올리는가?**

(광고를 내보낸 회사에 자료를 요청하면 알 수 있다)

이런 관점으로 잡지를 읽으면, 복권을 사는 것보다 확실하게 1억 엔을 벌 수 있다.

지금까지 '비즈니스 잡지'를 중심으로 소개했지만, 힌트는 비즈니스 잡지에서만 얻을 수 있는 건 아니다. 당신이 건강식품, 다이어트 제품 등 대중성 있는 상품을 찾고 있다면 '대중잡지'를 읽어보도록 해라. 예를 들어 미국인은 계산대로 가져가기도 창피함을 느끼는 잡지가 있다. 〈레드 북(Red Book)〉이라는 젊은 여성용 잡지로, 일본으로 치면 〈여성 자신〉, 〈여성 세븐〉 같은 잡지이다. 아니 그보다 훨씬 과격하다.

기사 제목만 봐도 'Sexy secrets for staying in love forever(영원히 연애하기 위한 섹시함의 비밀)'나 'Get your best body ever(최고의 몸을 손에 넣자)'처럼 여성의 본심에 직접 다가가는 메시지로 가득하다. 대체 어떤 말이 소비자의 마음 깊숙이 자리 잡은 감정과 욕망의 방아쇠를 당기는가? 어떤 상품이 어떤 구조로 팔리고 있으며 기사와는 어떤 관련을 지니고 있는가? 절호의 연구 과제다.

미국의 대중지에 실리는 광고 제작에는 매우 우수한 인재들이 투입된다. 대중 마켓은 규모가 크기 때문이다. 게다가 가격이 저렴하지 않으면 팔리지 않기 때문에 철저하고 치밀하게 연구하지 않으면 돈을 벌 수 없다. 그 연구의 결정이 대중지 광고라는 형태로 제시되는 셈이다. 따라서 대중지를 읽는 것은 굉장히 가치 있는 무료 세미나를 듣는 것과 마찬가지다.

〈더 내셔널 인콰이어러(The National Enquirer)〉와 〈선(Sun)〉이 대표적인 대중지다. 이런 잡지의 표지에는 '엘비스가 내 류머티즘을 낫게 해주었다', '나는 우주인에게 강간당했다' 등 우스꽝스러운 문구가 적혀 있다. 이런 잡지를 읽는 사람은 대체 어떤 상품을 구입할까? 그걸 알기 위해서라도 구입해볼 가치는 있다. 해외로 여행을 가게 되면 이야깃거리 삼아 훑어볼 것을 권한다. **단 공항이나 비행기 안처럼 외국인이 있는 곳에서는 읽지 않는 편이 좋다.**

내가 높이 평가하는 잡지는 질 높은 기사를 자랑하는 〈더 이코노미스트(The Economist)〉와 〈비즈니스 위크(Business

Week)〉다. 신문으로는 〈월스트리트 저널(Wall Street Journal)〉과 〈인베스터스 비즈니스 데일리(Investor's Business Daily)〉를 추천한다.

일본의 경제 파탄을 객관적으로 논평하거나 일본 불황의 진정한 원인은 야쿠자라고 주장하는 등, 깜짝 놀랄 만한 기사도 많다. 그러나 상세한 조사를 거쳐 지극히 논리적으로 작성되었기 때문에 일본의 신문이나 잡지 이상으로 일본 경제의 표면과 뒷면을 알게 해준다. 일본에 있으면 오히려 일본이 보이지 않는다. 그만큼 일본은 정보 쇄국 상태다.

〈인베스터스 비즈니스 데일리〉는 주식 투자가용 신문으로 뛰어난 경제 분석을 자랑한다. 어느 정도 지식이 있는 사람은 회사명과 업계의 업적 차트를 보기만 해도 성장기에 돌입할 업계를 예측할 수 있다.

그 밖의 잡지와 신문에 대해 알고 싶은 사람에게는 Magazine.com이라는 사이트를 추천한다. 잡지와 신문을 망라한 사이트로 검색 기능도 있어서 흥미 있는 분야의 잡지를 찾는 데 매우 편리하다. 이 사이트를 방문하여 당신의 분야와 업계에서 어떤 잡지가 출판되고 있는지 검색해보기 바란다. 그리고 한 권이라도 좋으니 구입하기를 바란다.

'이렇게 생각할 수도 있구나!' 하고 눈이 번쩍 뜨일 것이다.

동질적인 것만 보고 있으면 비즈니스 기회는 생기지 않는다. 일본 국내의 동업자를 참고해서 노력해봤자 별다른 성과를 거둘 수 없다. 이질적인 것과 이질적인 것을 결합시켜야만 거대한 에너지가 발생하는 법이다.

02

해외 뉴스레터에서 힌트를 얻는다

'뉴스레터'는 20~30페이지쯤 되는 얇은 잡지 같은 것이다. 잡지가 최대한 많은 독자를 대상으로 발간되는 것에 비해 뉴스레터는 특정 독자층을 겨냥하여 만들어진다. 따라서 일반인에게는 공개되지 않는 한정된 정보를 담고 있는 경우가 많다. 지극히 실용적인 정보를 담고 있어서 페이지 수가 얼마 되지 않는데도 구독료는 연간 100~200달러나 하는 비교적 높은 가격이다.

잡지는 페이지 수가 많아서 정기구독을 해도 쌓아놓기만 하고 읽지 않는 경우가 많지만, 뉴스레터는 잠깐씩 시간이 날 때마다 훑어볼 수 있다. 게다가 얇고 가벼워서 가방에 넣고 다녀도 불편하지 않다.

우수한 정보를 단시간에 흡수하기에는 가장 적합한 매체다.

나는 샐러리맨 시절, 신규 사업을 어떻게 추진해야 할지 몰라서(MBA에서는 아무것도 없는 상태에서 사업을 시작하는 방법은 가르쳐주지 않았다) 한때 미국의 마케팅 컨설턴트에서 발행하는 뉴스레터를 닥치는 대로 구독했다. 미국의 마케팅이 일본에서 성공할 수 있을지 불안하긴 했지만, 일본의 독자적인 환경에 맞춰 응용하자 서서히 매상이 올라갔다.

그 결과, 일본에서 철수하려던 본사는 전략을 바꿔 본격적인 개입을 결정했을 정도다. 그만큼 유용한 정보가 가득 담겨 있긴 하지만 개인이 집필하는 뉴스레터는 발행이 비정기적이거나 오래가지 못하는 경우가 많다. 또 신용카드로 결제할 때 구독료만 빠져나가고 받아보지 못할 수도 있으므로 조심하기를 바란다.

그런데 뉴스레터는 대체 어떻게 구입해야 할까? 〈Chapter 5〉에서 말했듯이 비즈니스 서적은 권말에 저자의 연락처와 비즈니스를 소개해놓은 경우가 많다. "뭐야, 결국 장삿속으로 쓴 책 아니야." 그렇게 생각하며 책을 던져버리지 말고 상품을 하나라도 구입해서 고객 리스트의 자신의 이름을 올려놓도록 해라. 그러면 그 리스트가 여기저기 퍼져서 다양한 회사에서 다이렉트 메일이 날아오게 될 것이다.

이렇게 딱 한 걸음만 내디디면 다음부터는 노력하지 않아도 저쪽에서 무료로 정보를 제공해준다. 물론 보석과 돌이 섞여 있는 것처럼 개중에는 형편없는 정보도 많다. 그러나 보석을 발견하여 그 정보에 집중적으로 투자하면 당신의 연 수입은 단기간에 몇 배나 증가할 것이다.

참고로 미국에서는 철학자나 학자들도 뉴스레터를 발행하여 스스로 연구비를 벌곤 한다. 재정적으로 자립할 수 있기에 자유로운 연구가 가능한 것이다. 내가 구독하고 있는 뉴스레터 중에서 오퍼레이션이 확실하고 해외 발송이 가능한 것들을 소개하겠다. 구독료는 모두 우송료를 포함하여 100~200달러 정도다.

*****

그럼 뉴스레터 3가지를 소개하겠다.

〈No B.S. 마케팅 레터(No B.S. Marketing Letter)〉

미국의 저명한 다이렉트 마케터 댄 케네디(Dan Kennedy)는 미국의 통신 판매 업계와 TV 홈쇼핑 업계에 지대한 영향을 끼친 중심인물이다. 〈No B.S. 마케팅 레터〉는 그가 편집하는 뉴스레터다. 매호 실천적인 정보들이 가득 담겨 있는 정보의 보고로, 유명 잡지나 신문에 소개되지 않는 미국 비즈니스의 힘겨운 실정을 상세하게 알 수 있다.

그 밖의 저명한 마케터로는 **게리 할버트**(Gary Halbert), **테드 니콜라스**(Ted Nicholas), **조 슈가맨**(Joe Sugarman), **제프 폴**(Jeff Paul), **조 폴리시**(Joe Polish), **멜빈 파워스**(Melvin Powers), **제이 에이브러햄**(Jay Abraham) 등이 있다. 이들 모두 과거에는 뉴스레터를 발행하거나 훌륭한 저서를 남겼으나, 현재까지 뉴스레터의 집필과 발행을 하는 사람은 댄 케네디뿐이다. 그도 조만간 은퇴할 예정이다.

댄 케네디의 저서 중에서 일본어로 번역되어 발행된 것은 《비즈니스판 악마의 법칙》 한 권뿐인데, 지금은 구하기 어려운 상태다.

구독 신청은 홈페이지에서 가능하다.

▸ http://www.dankennedy.com

〈인사이드 다이렉트 메일(inside direct mail)〉

미국에서 배포되는 다이렉트 메일과 광고를 분석한 정보지다. 광고 효과를 높이는 방법에 초점을 맞춰 봉투 개봉률, 캐치 카피, 오퍼(특전), 신청서 등을 상세하게 분석하고 있다. 일본에서는 회사의 수익과 직결되는 정보를 공개하는 것 자체가 거의 불가능하지만, 미국에서는 비교적 개방적으로 각 회사가 정보를 공유하고 몇십 년에 걸쳐 노하우가 축적된다.

그 결과 우수한 마케팅 전문가가 다수 배출되는 것이다. 이런 정보지를 보고 있으면 역시 미국은 앞서가고 있다는 생각에 한숨이 흘러나오곤 한다. 이런 현상은 다이렉트 마케팅 분야에만 한정된 것이 아니다. 흥미 있는 분야의 정보를 철저하게 조사하면 당신도 단시간 내에 전문가가 될 수 있을 것이다.

구독 신청은 홈페이지에서 가능하다.

▸ http://www.insidedirectmail.com

〈이그제큐티브 북 서머리스(Executive Book Summaries)〉

미국에서 출판되는 비즈니스 서적을 요약한 뉴스레터. 연간 14회 발송된다. 미국의 최신 비즈니스 서적을 읽고 싶지만, 시간이 없어서 요점만 파악하고 싶은 사람에게 안성맞춤이다. 온라인 구독이나 우송 중 하나를 선택할 수있으며 음성으로 녹음된 CD와 테이프도 판매하고 있다.

구독 신청은 홈페이지에서 가능하다.

▸ http://www.summary.com

03

해외 TV 홈쇼핑에서 힌트를 얻는다

나는 해외로 출장을 갔을 때 호텔에 들어가면 CNN이 아닌 홈쇼핑 채널을 틀어놓곤 한다. 왜냐하면 TV 홈쇼핑은 매상을 올리기 위한 세일즈 토크 발표회 같은 것이기 때문이다. 미국의 홈쇼핑은 우수한 마케터들이 머리를 짜서 세일즈 토크를 만든다. 게다가 그들은 판매 수수료를 받고 일하기 때문에 최선을 다하지 않을 수 없다. 판매 수수료의 액수도 장난이 아니다. 성공하면 수억 엔을 벌 수 있다.

그 노하우의 결정체를 공짜로 공부할 수 있는 셈이다.

현재 미국의 TV 홈쇼핑 업계는 성숙기에 돌입한 상태다. 따라서 채산성을 따지자면 위험 부담이 있는 비즈니스다. 그러나 상품의 트렌드, 상품을 팔기 위한 세일즈 토크 구축법, 주문 신청 방법 등 다양한 방면으로 참고가 된다.

나는 미국으로 출장을 가면 굳이 시차에 적응하려고 노력하지 않는다. 그러면 한밤중이나 새벽에 눈이 떠지곤 한다. 이 시간대는 광고비가 저렴하기 때문에 일본에서는 생각조차 할 수 없는 신제품이 TV 홈쇼핑으로 판매된다. 다이어트 기구, 건강식품, 가정용품뿐만 아니라 증모 수술, 근시 수술, 자기 계발 교재, 부업 정도, 속독 교재 등의 광고가 TV에서 빈번하게 흘러나온다.

이런 상품들이 조만간 일본에 들어올지도 모른다. 예를 들어 3년 전 미국 TV 홈쇼핑 업계에서 어떤 의사가 개발한 여드름 전용 화장품이 크게 히트한 적이 있다. 매우 강렬한 광고였다. 여드름 때문에 고민하던 사람들이 나와서 눈물을 흘리며 여드름이 나아서 얼마나 다행인지 얘기하는 내용이었다.

일본에서는 약사법에 저촉되기 때문에 이런 광고를 방영하는 것은 불가능하다. 그러나 대체 무엇이 소비자의 구매욕을 자극했는지 이해하기에는 좋은 교재다. 내 고객 중 한 명은 미국에 사는 친구에게 부탁해서 이 TV 홈쇼핑 광고를 비디오로 녹화했다. 그리고 치밀하게 연구하여 일본에서 판매할 예정이었던 상품의 마케팅에 참고로 삼았다. 그 결과 그 상품은 발매되

자마자 통판 판매업계 최고의 상품이 되었다.

한 가지 주의해야 할 점은 미국의 것을 일본에 그대로 들여와서는 안 된다는 것이다. 그렇다고 '일본과 미국은 다르다'라며 무조건 부정해서는 안 된다.

중요한 건 어떻게 하면 미국에서 히트한 상품을 일본에서도 히트하게 만들 수 있을지 연구하는 것이다.

04

통신 판매 카탈로그에서 비즈니스 힌트를 얻는다

미국에서 유행했던 상품이 몇 년 뒤 일본에서 히트하는 경우가 종종 있다. 예를 들어 바닥에 바퀴가 달린 운동화와 컴퓨터로 별의 움직임을 좇는 천체 망원경은 일본에서도 붐을 일으켰다. 이런 상품들은 항공기 기내 판매 카탈로그와 완구나 생활용품 등 특이한 상품을 판매하는 회사인 'Discovery Store'와 'Sharper Image' 등의 카탈로그에 일본보다 2~3년 앞서 소개되었다.

통판 카탈로그는 미국 내에서도 트렌드의 선두 주자라고 할 수 있다. 미국에서는 통판 회사로 성공한 다음 점포를 여는 경우가 많기 때문이다. 예를 들어 스테이크용 고기를 통판하던

Ohama Steak는 고급 레스토랑 체인을 운영하기 시작했으며, 여성용 속옷을 통판하던 Victoria's Secret은 현재 어느 쇼핑몰에서나 점포를 찾아볼 수 있다.

즉 통판으로 고객과 브랜드를 확보한 뒤 그 자산으로 점포를 여는 것이다. 이런 식으로 리스크를 조절하며 사업을 확장하는 방식은 데이터베이스에 의해 마케팅을 하는 기업에 있어 실로 확실한 방법이라 할 수 있다.

통판 카탈로그는 상품의 트렌드 뿐만이 아니라 비즈니스 모델을 파악하는 데도 도움이 된다. 통판은 매출액과 반응률, 그리고 코스트라는 방정식으로 이루어졌다. 미국에서 통판 회사가 유지되는 것은 어느 정도 지속적인 반응률이 있음을 뜻한다. 일본은 미국 이상으로 비용이 많이 들어서 더욱 철저한 시뮬레이션이 필요하지만, 미국에서 성공을 거둔 비즈니스 모델이라면 검토해볼 가치는 있다.

추천할 만한 사이트는 http://www.catalogcity.com. 통판 카탈로그를 검색할 수 있는 편리한 사이트다. 미국뿐 아니라 유럽의 카탈로그도 망라되어 있다. 어떤 카탈로그 회사가 있는지 살펴보기만 해도 많은 힌트를 얻을 수 있을 것이다.

예를 들어 Anything Left-Handed라는 왼손잡이 전용 카탈로그, Over Stock Art를 직역하면 '재고 과잉 아트'라는 카탈로그도 있다. 유명한 아티스트의 복제 그림을 40~70퍼센트 가량 저렴한 가격으로 판매하는 회사다.

당신이 관심을 지닌 분야와 업계에는 어떤 카탈로그 회사가 있을까? 조사해볼 가치는 있다. 장래 당신에게 10억 엔 규모의 기업을 안겨줄지도 모른다.

05

미국에 자신의 주소를 만드는 방법

미국의 점포나 통판 회사에서 상품을 구매하고 싶어도 해외 발송 서비스를 하지 않는 경우도 많다. 이럴 때 내가 사용하는 방법을 가르쳐주겠다. 미국에 자신의 전용 우편 주소를 만들어서 일본으로 전송하는 방법이다. 미국의 주소를 명함에 인쇄하는 것도 근사할지 모른다. 단 신청하려면 서류 작성 등 약간의 영어 실력이 필요하다.

USA 박스(USA box)

나도 이용하는 서비스로, 편지와 책은 물론 어떤 화물도 전송해준다. 또 현재 우편물이 있는지 없는지 전부 인터넷으로 체크할 수 있다. 기본요금이 필요 없는 '베이직 플랜'을 비롯하여 불필요한 DM을 지워버릴 수 있는 플랜 등 목적과 용도에 맞춰 다양한 패턴의 플랜이 마련되어 있다. 단 해외에서 날아오는 DM은 정보의 보고(寶庫)이다. 될 수 있는 대로 입수하도록 하자. 잡지 자체보다 DM이 참고되는 경우도 많다.

▸ http://www.usabox.com

억세스 USA(Access USA)

USA 박스와 마찬가지로 일본에 우편물을 전송해주는 서비스다. 억세스 USA는 직접 취급하는 잡지의 종류가 매우 다양하며 의복, 선물, 취미용품, 스포츠용품, 컴퓨터 등 온갖 종류의 카탈로그를 무료로 제공해주는 것이 특징이다(우송료는 본인 부담). 역시 고객에 맞춰 다양한 플랜이 마련되어있다.

▸ http://www.myus.com

이상으로 어떻게 하면 해외에서 비즈니스 힌트를 얻을 수 있는지 내가 사용하고 있는 방법을 소개해보았다.

"그런데 왜 간다 씨는 자신의 비즈니스와 관련된 중요한 정보를 공개하는 걸까요?"

이렇게 말하는 사람도 있을 것이다. 하지만 걱정할 필요

없다.

지금 이 시대에는 나 혼자서는 전부 주울 수 없을 만큼 많은 기회가 굴러다니고 있으니까 말이다!

이렇게 몇 가지 리스트를 꼽아보기만 해도 국제화되어 있다고 생각했던 일본에 얼마나 많은 비즈니스의 기회가 묻혀 있는지 알게 되었을 것이다. 그 기회는 당신이 세계로 나가겠다고 결심한 순간 눈앞에 나타날 것이다.

에필로그

옛날 어느 곳에 한 남자가 살았다.

남자의 삶은 지극히 평범했다. 평범한 일을 하고, 평범한 일상을 지내며, 평범한 생활을 영위했다.

남자는 항상 열심히 공부했다. 저녁 6시가 되면 잡음투성이 라디오를 켜고 NHK 영어 강좌를 들었다.

남자는 형편없는 발음으로 라디오에서 흘러나오는 영어를 큰소리로 따라 했다. 매일 하루도 빠짐없이.

그러나 남자가 아무리 노력해 봐도 그의 발음은 좀처럼 고쳐지지 않았다.

남자의 아이들은 그런 아버지를 바보 취급하며 말했다.

"이제 와서 영어를 공부해 봤자 무슨 소용이람."

남자도 분명 알고 있었을 것이다. 아이들이 자신을 바보 취급하고 있다는 것을.

그래도 남자는 계속해서 영어를 공부했다.

그로부터 25년. 남자는 지금도 영어를 공부한다.

그리고 아직도 영어를 못한다. 25년 전과 마찬가지로.

하지만 달라진 점이 있다.

남자의 딸은 국제선 스튜어디스로 일하다가 자신의 꿈을 좇아 해외 유학을 떠났다. 그녀는 예일대학교에서 박사 학위를 받고, 하버드대학교에서 미술사 교편을 잡았다.

남자의 아들은 외무성에 들어가서 외교관이 되었다. 그 후 미국으로 유학을 떠났다가 경영 컨설턴트로 독립했다. 그리고 《돈과 영어의 비상식적인 관계》라는 책을 집필했다.

그렇다. 그 남자는 바로 나의 아버지다.

어렸을 적 나는 아버지를 이해할 수 없었지만, 지금은 이해할 수 있다. 평범한 아버지가 제일 멋지다는 것을, 평범한 아버지가 최고의 영웅이라는 것을.

이 책을 나의 아버지 간다 요시아키께 바칩니다

간다 마사노리(神田 昌典)

감사의 말

'지식(知識)'은 혼자서는 태어나지 않는다.

지식과 지식은 융합을 통해 '새로운 것'을 만들어낸다.

이 책을 집필하면서 크리스 포스켓(Chris Foskett) 여사의 많은 도움을 받았다. 그녀는 내 영어 선생님이자 경영자에게 영어를 가르치는 프로젝트를 함께 진행해 온 소중한 나의 파트너다.

이 책에 담긴 노하우는 대부분 포스켓 여사와 나의 거듭된 토론 끝에 완성되었다. 그녀가 지닌 신경 언어 프로그래밍과 가속 학습법에 대한 지식, 그리고 포토리딩 교사로서의 경험이 나의 지식과 융합하여 새롭게 탄생한 것이다.

다른 문화에서 살아온 사람들끼리 지식을 융합하는 것. 그것은 최고의 '쾌감'이다.

돈과 영어의 비상식적인 관계 2

초판 1쇄 인쇄 2024년 7월 22일
초판 1쇄 발행 2024년 7월 22일

지은이 간다 마사노리 지음

발행처 리미트리스
이메일 syc1025@naver.com

마케팅 손힘찬
편집자 권정희
본문디자인 산타클로스

값 18,000원

ISBN 979-11-984096-4-5
ISBN 979-11-984096-2-1 (세트)